WITHDRAWN

LOS SANTOS INOCENTES

MIGUEL DELIBES

Colección
LEER EN ESPAÑOL

español

SANTILLANA
UNIVERSIDAD
DE SALAMANCA

La adaptación de la obra *Los santos inocentes*,
de **Miguel Delibes**, para el Nivel 5 de la colección
LEER EN ESPAÑOL, es una obra colectiva, concebida,
creada y diseñada por el Departamento de Idiomas
de la Editorial Santillana, S.A.

Adaptación: **Isabel Santos Gargallo**

Ilustración de la portada: Fotograma de la película
Los santos inocentes, dirigida por Mario Camus. Foto **Vendrell**

Ilustraciones interiores: **Enrique Jiménez Corominas**

Coordinación editorial: **Elena Moreno**

Dirección editorial: **Silvia Courtier**

© Miguel Delibes, 1981
    Editorial Planeta, S.A., Barcelona

© de esta edición,
    1996 by Universidad de Salamanca
       Grupo Santillana de Ediciones, S.A.
Torrelaguna, 60. 28043 Madrid
PRINTED IN SPAIN
Impreso en España por UNIGRAF
Avda. Cámara de la Industria, 38
Móstoles, Madrid
ISBN: 84-294-3494-1
Depósito legal: M-14777-2001

Nacido en Valladolid, en 1920, Miguel Delibes ha repartido su vida profesional entre la enseñanza, el periodismo y la creación literaria.

Desde su primer libro, La sombra del ciprés es alargada, *por el que obtuvo el Premio Nadal en 1947, Delibes se ha situado en la línea del realismo testimonial, siendo sus obras un reflejo de la vida cotidiana.*

Su gran humanismo le lleva a acercarse al mundo de los más humildes de la sociedad: a los niños en El camino *(1950), a los ancianos en* La hoja roja *(1959), o a los campesinos de una Castilla rural, abandonada y pobre, en* Las ratas *(1962); pero también le hace criticar la burguesía provinciana en* Mi idolatrado hijo Sisí *(1953) y, sobre todo, en* Cinco horas con Mario *(1966).*

Académico de la Lengua desde 1975 y ganador de un gran número de premios literarios, entre ellos, el Premio Nacional de las Letras en 1991 y el Premio Cervantes en 1995, Miguel Delibes ocupa uno de los primerísimos puestos entre los novelistas españoles contemporáneos.

En Los santos inocentes *(1981) nos habla, en un estilo sobrio y poético, bañado de color local, de la interrelación del hombre con la naturaleza, de la miseria de las zonas rurales y de la injusticia social.*

LA LENGUA EN *LOS SANTOS INOCENTES*

Los santos inocentes está concebida como una narración oral, de ahí que, en su versión original e íntegra, presente una serie de particularidades: ausencia de puntuación, reducida al empleo de comas para marcar las pausas de entonación, y falta de guiones para señalar cuando habla cada persona en un diálogo.

En la presente adaptación y para favorecer la comprensión del texto al estudiante de español se han incorporado tanto la puntuación convencional como los guiones.

Hemos conservado, sin embargo, otros rasgos del habla familiar y vulgar de las zonas rurales de la península Ibérica, presentes en la obra original:

RASGOS PROPIOS DEL LENGUAJE HABLADO

– Eliminación o elipsis del verbo en las frases que introducen los diálogos:

Ejemplo: *–¿Qué es lo que te pasa a ti, Azarías?*
Él:
–Ando con la perezosa, como yo la llamo.

– Abundante uso de la conjunción copulativa **y**.

Ejemplo: **Y** *con la primera luz salía al patio, abría el portón* **y**, *luego, limpiaba las jaulas de las gallinas* **y** *al terminar, pues a regar las plantas* **y** *a rascarle al búho entre las orejas.*

– Uso de la conjunción copulativa **y** para introducir la intervención de un personaje en el discurso. También acompañada de un nombre propio o de un pronombre personal.

Ejemplo: *Y el señorito levantaba un poco el hombro izquierdo,* **y:**
–Adiós, Azarías.

Ejemplo: **Y Azarías:**
–¿Y los muchachos?

Ejemplo: *Y ella:*
             —En la escuela, ¿dónde quieres que estén?

— Empleo de la conjunción **que** reforzativa con valor ilativo o de enlace, equivalente a **y**:

Ejemplo: *...la Niña Chica, nunca decía nada, **que** única-mente, de vez en cuando, daba un grito terrible.*

— Uso de la conjunción **que** acompañada de un nombre propio para introducir el estilo directo.

Ejemplo: ***Que** la Régula:*
             —¿Estás tonto, Paco?

— Empleo de la conjunción **que** con valor causal, equivalente a **porque:**

Ejemplo: *Y el señorito sonreía y nada más; **que** al señorito sólo le molestaba que el Azarías afirmase que tenía un año más que el señorito.*

RASGOS PROPIOS DEL LENGUAJE FAMILIAR Y VULGAR

— Uso de **donde** por **a casa de**:

Ejemplo: *...e, incluso, si, de repente, marchaba **donde** su hermana y el señorito preguntaba por él...*

— Uso del dativo ético o complemento con el que se expresa la emoción que provoca una acción en una persona:

Ejemplo: *Crespo, cuída**me** a estos muchachos.*
Ejemplo: *El Azarías **nos** entró esta mañana.*
Ejemplo: *Los muchachos ya **te** tienen edad de trabajar.*

— Empleo del artículo determinado antepuesto al nombre propio:

Ejemplo: ***la** Régula, **el** Azarías, **el** Facundo.*

LIBRO PRIMERO

AZARÍAS

A su hermana, la Régula, le molestaba la actitud del Azarías y le regañaba[1], y él, entonces, volvía a la Jara*[2], donde el señorito[3]. A su hermana, la Régula, le molestaba la actitud del Azarías porque ella quería que los muchachos aprendiesen, cosa que al Azarías, le parecía un error. Por el contrario, en la Jara, donde el señorito, nadie se preocupaba de si éste o el otro sabían leer o escribir. Tampoco importaba si el Azarías iba de un lado a otro, los pantalones caídos y sin botones, los pies descalzos[4] e incluso, si, de repente, se marchaba donde su hermana y el señorito preguntaba por él y le respondían:

—Está donde su hermana, señorito.

Al señorito no le afectaba, apenas levantaba el hombro izquierdo, pero no preguntaba más. Y cuando volvía, lo mismo.

—El Azarías ya ha vuelto, señorito.

---

* Los topónimos que aparecen en *Los santos inocentes* no sitúan la acción en un lugar concreto de la geografía española; el autor los ha elegido por su sonoridad y por ser evocadores de un tipo de relieve, de vegetación o de fauna. El dato más explícito en relación con la ubicación de la obra es la cercanía de Portugal (indicada en la página 11 de esta adaptación).

Y el señorito sonreía y nada más; que al señorito sólo le molestaba que el Azarías afirmase que tenía un año más que el señorito, porque, en realidad, el Azarías ya era un muchacho cuando el señorito nació. Pero el Azarías no se acordaba de esto. Y si, a veces, afirmaba que tenía un año más que el señorito era porque Dacio, el Porquero[5], se lo dijo así una Navidad que estaba borracho y a él, al Azarías, se le quedó en la cabeza. Y siempre que le preguntaban:

—¿Cuántos años tienes tú, Azarías?

Él respondía:

—Exactamente un año más que el señorito.

Pero no lo decía por molestar ni por el placer de mentir, sino porque era como un niño. Y el señorito hacía mal en protestar por eso. Ni era justo tampoco, ya que el Azarías, a cambio de estar todo el día por el cortijo[6] como masticando[7] la nada, mirándose atentamente las uñas de la mano derecha, limpiaba el coche del señorito. También quitaba los tapones de las válvulas[8] a los coches de los amigos del señorito para que al señorito no le faltaran si venían tiempos difíciles. Además, el Azarías se ocupaba de los perros de caza. Y si por la noche los perros del cortijo se ponían nerviosos, él, Azarías, los calmaba con buenas palabras y les rascaba[9] entre los ojos hasta que se tranquilizaban y a dormir. Y con la primera luz salía al patio, abría el portón[10] y, luego, limpiaba las jaulas[11] de las gallinas y al terminar, pues a regar las plantas y a rascarle al búho[12] entre las orejas. Y según caía la noche, ya se sabía, Azarías, sentado junto al fuego, quitaba las plumas[13] a los pájaros que el señorito había cazado durante el día. Y frecuentemente, si eran muchos, el Azarías guardaba uno para la milana[14], de manera que el búho, cada vez que le[**] veía aparecer, le envolvía en su redonda mirada amarilla. Y el Azarías le decía con una voz muy dulce:

—Milana bonita, milana bonita.

Y le rascaba entre los ojos y le sonreía. Y si tenía que atarlo para que el señorito o la señorita o los amigos del señorito o las amigas de la señorita se divirtiesen disparando a las águilas[15], Azarías le ponía en la pata derecha un trozo de tela roja para que la cadena no lo hiriese. Y aunque estaba un poco sordo, oía los ruidos secos de los disparos y después de cada uno temblaba y cerraba los ojos.

Y al abrirlos de nuevo, miraba hacia el búho y, al verlo de pie y tan derecho, sobre la piedra, se sentía orgulloso de él y se decía con emoción:

—Milana bonita.

[**] Hemos respetado el uso del «leísmo», fenómeno que consiste en un empleo del pronombre personal **le** –complemento indirecto– en vez del pronombre **lo** –complemento directo– para referirse a un objeto directo de persona («**le** veía» en vez de «**lo** veía»). Es un uso propio de las zonas de León y Castilla y está hoy admitido por la Real Academia Española. En *Los santos inocentes*, el «leísmo» no es generalizado, alternándose el pronombre **le** con un uso minoritario del pronombre **lo**.

Y sentía unas ganas enormes de rascarle entre las orejas, y en cuanto el señorito o la señorita o las amigas del señorito o los amigos de la señorita se cansaban de matar pájaros, él se acercaba al búho moviendo la boca arriba y abajo, como masticando algo, y le sonreía.

—No estuviste cobarde, milana —le decía y le rascaba entre los ojos. Y después recogía del suelo, una detrás de otra, las águilas muertas. Quitaba la cadena al búho con cuidado y lo metía en la gran jaula de madera que se colocaba encima del hombro. Y muy despacito, se iba hacia el cortijo sin esperar al señorito, ni a la señorita ni a los amigos del señorito ni a las amigas de la señorita que caminaban lentamente, charlando de sus cosas y riendo sin motivo alguno. Y cuando llegaba la noche, sentado en el patio a la blanca luz de una lamparita, el Azarías quitaba las plumas a un pájaro y se iba con él a la cuadra[16], y:

—Uuuuuh —hacía.

Y al minuto, el búho se levantaba sin hacer ruido, en un movimiento blando como de algodón, y hacía a su vez: «Uuuuuh», como respuesta al *uuuuuh* de Azarías. Y después se comía el pájaro en silencio y el Azarías lo miraba comer con una sonrisa y decía:

—Milana bonita, milana bonita.

Y una vez que el búho terminaba su comida, el Azarías se iba donde las amigas del señorito y los amigos de la señorita dejaban sus coches y, con paciencia, quitaba los tapones de las válvulas de las ruedas. Y al terminar, los ponía con los que guardaba en la caja de zapatos, en la cuadra, se sentaba en el suelo y empezaba a contarlos.

—Uno, dos, tres, cuatro, cinco...

Y al llegar a once, decía:

—Cuarenta y tres, cuarenta y cuatro, cuarenta y cinco...

Luego salía al patio, ya oscurecido, y en un rincón se orinaba las manos[17] para que no se le estropeasen. Y así un día y otro día, un mes y otro mes, un año y otro año, toda una vida. Pero algunas mañanas, el Azarías se despertaba sin fuerzas, y esos días no limpiaba las jaulas, ni disponía la comida para los perros, sino que salía al campo y se acostaba en el suelo. Y cuando Dacio, el Porquero, o el señorito le preguntaban:

—¿Qué es lo que te pasa a ti, Azarías?

Él:

—Ando con la perezosa[18], como yo la llamo.

Y de este modo, muy quieto, mirando atentamente el Cerro de las Corzas[19] (del otro lado estaba Portugal), transcurría el tiempo hasta que daba de vientre[20] y le volvían las energías. Y entonces, reaccionaba e iba donde el búho y le decía dulcemente:

—Milana bonita.

Y luego, se sentaba en el suelo y empezaba a contar los tapones de las válvulas que guardaba en la caja.

—Uno, dos, tres, cuatro, cinco...

–¿Y tú qué haces aquí, si puede saberse?
–¿Y los muchachos?
–En la escuela, ¿dónde quieres que estén?

Hasta llegar a once, y entonces decía:

—Cuarenta y tres, cuarenta y cuatro y cuarenta y cinco...

Y al terminar, tapaba la caja, se quedaba un largo rato observando las uñas de su mano derecha, moviendo arriba y abajo la boca y diciendo palabras incomprensibles y, de repente, decía:

—Me voy donde mi hermana, señorito.

Y el señorito levantaba un poco el hombro izquierdo, y:

—Adiós, Azarías.

Y él se marchaba al otro cortijo, donde su hermana, y ella, la Régula, al abrirle el portón:

—¿Y tú qué haces aquí, si puede saberse?

Y Azarías:

—¿Y los muchachos?

Y ella:

—En la escuela, ¿dónde quieres que estén?

Y él, el Azarías, mostraba un momento la punta de la lengua, volvía a esconderla y decía al fin:

—El mal es para ti, que luego no sirven ni para brutos ni para señoritos.

Y la Régula contestaba:

—¿Te pedí yo opinión?

Pero tan pronto como caía el sol, el Azarías se sentaba delante del fuego, medio dormido, masticando la nada, y un rato después levantaba la cabeza y, de repente, decía:

—Mañana me vuelvo donde el señorito.

Y antes de amanecer[21], el Azarías ya estaba de camino y cuatro horas más tarde, bañado en sudor y con hambre, en cuanto oía a la Lupe abrir el portón, ya empezaba:

—Milana bonita, milana bonita.

Una y otra vez, sin dejarlo, y a la Lupe, la Porquera, ni los buenos días. Y el señorito tal vez estaba en la cama, descansando, pero en cuanto aparecía al mediodía en la entrada de la casa, la Lupe le informaba:

—El Azarías nos entró esta mañana temprano, señorito.

Y el señorito cerraba un poco los ojos:

—De acuerdo —decía.

Y levantaba el hombro izquierdo, como sorprendido, aunque ya se oía al Azarías limpiando las jaulas.

Y de este modo transcurrían las semanas, hasta que un buen día, al empezar la primavera, el Azarías cambiaba, le subía a los labios una sonrisa. Y al ponerse el sol, en lugar de contar los tapones de las válvulas, agarraba al búho y salía con él al encinar[22]. Y el enorme pájaro, muy quieto sobre su brazo, miraba los alrededores. Y según oscurecía, levantaba un vuelo blando y silencioso y volvía, al poco rato, con un pájaro entre las uñas y allí mismo, junto al Azarías, se lo comía. Mientras, él le rascaba entre las orejas y escuchaba el corazón de la montaña. Y ahora ya no, pero antes también se oía a los lobos[23] las noches de primavera, pero desde que llegaron los hombres de la luz e instalaron el sistema eléctrico, no se volvieron a oír; y a cambio, se oía gritar al cárabo[24], y el búho, en esos casos, ponía derecha la enorme cabezota y el Azarías reía sordamente, sin ruido, y decía a media voz:

—¿Estás cobarde, milana? Mañana salgo a correr el cárabo.

Y al día siguiente, al llegar la noche, salía solo, montaña adelante, abriéndose paso entre la jara crecida, porque el cárabo le producía un gran miedo y, al mismo tiempo, le resultaba extrañamente atractivo. De manera que, al pararse, oía claramente los duros golpes de su corazón, y entonces esperaba un rato para tomar aire y calmar su espíritu, y poco después gritaba, llamando, llamando al cárabo:

—¡Eh!, ¡eh!

Y atento, esperaba respuesta mientras la luna asomaba detrás de las nubes y llenaba el paisaje de una luz llena de sombras, y él repetía:

—¡Eh!, ¡eh!

Hasta que, de repente, veinte metros más abajo, desde una gran encina[22], le llegaba el esperado y terrible grito:

—¡Buhú!, ¡buhú!

Y al oírlo, el Azarías perdía la idea del tiempo y de sí mismo y echaba a correr como loco, y detrás de él, saltando blandamente de árbol en árbol, el cárabo gritando y riéndose. Y cada vez que reía, el Azarías se acordaba de la milana, allí, en la cuadra, y corría aún más rápido, y el cárabo, detrás de él, volvía a gritar y a reír. Y el Azarías corría

15

y corría, se caía y se levantaba, sin volver jamás la cabeza. Y al llegar al cortijo, donde el señorito, la Lupe, la Porquera, le decía:

—¿De dónde vienes, di?

Y el Azarías sonreía suavemente, como un niño al que sorprenden haciendo algo malo:

—De correr el cárabo, como yo lo llamo —decía.

Y ella comentaba:

—¡Jesús, qué juegos!

Pero él ya estaba en la cuadra, quieto, escuchando los golpes de su corazón, la boca medio abierta, sonriendo a la nada. Y después de un rato, ya más tranquilo, se acercaba a la jaula de la milana, agachado, sin hacer ruido, y de repente hacía:

—¡Uuuuuh!

Y el búho se le acercaba y le miraba a los ojos, y entonces el Azarías le decía muy contento:

—Estuve corriendo el cárabo.

Y el animal levantaba las orejas y movía el pico[25] como si se alegrara, y él:

—Buena carrera le di.

Y empezaba a reír sin ruido, sintiéndose protegido dentro del cortijo, y así una vez y otra, una primavera y otra, hasta que una noche, a finales de mayo, fue a la cuadra y dijo como de costumbre:

—¡Uuuuuh!

Pero el búho no respondió a la llamada, y entonces, el Azarías se sorprendió e hizo de nuevo:

—¡Uuuuuh!

Pero el búho no respondió a la llamada y el Azarías, por tercera vez:

—¡Uuuuuh!

Pero dentro de la jaula ni un ruido, por lo que el Azarías empujó la puerta y se encontró al búho muy quieto, en un rincón. Y al enseñarle el pájaro sin plumas, el búho no se movió, y entonces el Azarías lo cogió por las alas[26] y lo acercó a su cuerpo, rascándole entre los ojos y diciéndole con cariño:

—Milana bonita.

Pero el pájaro no reaccionaba como de costumbre, entonces el Azarías lo dejó, salió y fue a hablar con el señorito.

—La milana está enferma, señorito, tiene fiebre —le informó.

Y el señorito:

—¿Y qué quieres que hagamos? Está vieja ya, habrá que buscar un búho nuevo.

Y el Azarías, muy triste:

—Pero es la milana, señorito.

Y el señorito, algo dormido:

—Y dime tú, ¿no es lo mismo un pájaro que otro?

Y el Azarías insistiendo:

—¿Da permiso el señorito para que informe al Mago[27]?

17

Y el señorito movió los hombros.

—¿Al Mago? Eso es mucho gastar sólo por un pájaro.

Y después se rió como el cárabo, que el Azarías temblaba, y:

—Señorito, no se ría así, por Dios se lo pido.

Y el señorito:

—¿Es que tampoco me puedo reír en mi casa?

Y se rió de nuevo como el cárabo, cada vez más fuerte. Y al oír sus risas llegaron la señorita, la Lupe, Dacio, el Porquero, Dámaso, y las muchachas de los pastores[28], y todos reían como cárabos.

Y el Azarías:

—La milana tiene fiebre y el señorito no quiere que llame al Mago.

Y otra vez las risas, hasta que finalmente el Azarías, sorprendido, echó a correr, salió al patio y se orinó las manos. Y después entró en la cuadra, se sentó en el suelo y empezó a contar en voz alta los tapones de las válvulas intentando calmarse.

—Uno, dos, tres, cuatro, cinco, seis, siete, ocho, nueve, diez, once, cuarenta y tres, cuarenta y cuatro, cuarenta y cinco.

Hasta que se sintió más tranquilo y durmió una siesta, y en cuanto amaneció, se acercó en silencio a la jaula e hizo:

—¡Uuuuuh!

Pero nadie respondió, y entonces el Azarías empujó la puerta y vio al búho en el rincón donde lo había dejado el día anterior, pero caído y frío. Y el Azarías lo cogió por un ala, lo guardó en la chaqueta y dijo con voz rota:

—Milana bonita.

Pero el búho ni abría los ojos ni movía el pico ni nada. Entonces el Azarías cruzó el patio, llegó al portón, y al abrirlo, salió la Lupe, la mujer de Dacio.

—¿Qué es lo que te pasa ahora, Azarías?

Y el Azarías:

—Me marcho donde mi hermana.

Y sin más, salió y a paso rápido cruzó el encinar, apretando dulcemente el cuerpo muerto del pájaro contra su pecho, y tan pronto como lo vio la Régula:

—¿Otra vez aquí?

Y el Azarías:

—¿Y los muchachos?

Y ella:

—En la escuela están.

Y el Azarías:

—¿Es que no hay nadie en casa?

Y ella:

—La Niña Chica está.

Y en ese momento, la Régula se dio cuenta de que el Azarías apretaba algo contra su pecho, le abrió la chaqueta y el pájaro muerto cayó al suelo. Y ella, la Régula, dio un grito y dijo:

—Saca ahora mismo de casa esa basura, ¿me oyes?

Y el Azarías recogió el pájaro y lo dejó fuera. Volvió a entrar en la casa y salió con la Niña Chica en brazos, y la Niña Chica volvía sus ojos perdidos sin fijarlos en nada. Y él, el Azarías, cogió a la milana por una pata. Y la Régula:

—¿Dónde vas así?

Y el Azarías:

—A hacer el entierro, como yo lo llamo.

Y en el camino la Niña Chica dio uno de esos gritos que helaban la sangre de cualquiera, pero no la del Azarías.

Llegó a los pies de la montaña y colocó a la niña en la sombra, entre unas jaras. Se quitó la chaqueta y en un segundo hizo un agujero profundo al pie de un árbol, puso en él al pájaro y, en seguida, lo cubrió de tierra y se quedó mirando, los pies descalzos, el pantalón caído, la boca medio abierta. Y después de un rato, su mirada se volvió hacia la Niña Chica, y los ojos de la Niña Chica miraban al vacío sin fijarse en nada y el Azarías se agachó y la cogió en sus brazos. Se sentó en el suelo, junto a la tierra removida, y la apretó contra sí diciendo:

—Milana bonita.

Y empezó a rascarle la cabeza mientras la Niña Chica, quieta, se dejaba hacer.

LIBRO SEGUNDO

PACO, EL BAJO

SI hubieran vivido siempre en el cortijo quizá las cosas se habrían producido de otra manera, pero a Crespo, el Guarda Mayor[29], le gustaba mandar a alguien a la Raya[30] del Abendújar, y esta vez le tocó a Paco, el Bajo. Y no es que le molestase por él, que a él lo mismo le daba un sitio que otro, pero sí por los muchachos, claro, por la escuela, que con la Charito, la Niña Chica, tenían bastante. Y le llamaban la Niña Chica a la Charito por los pequeños aunque, en realidad, fuese la niña mayor.

—Madre, ¿por qué no habla la Charito?

—¿Por qué no anda la Charito, madre?

—¿Por qué la Charito se orina en las bragas[31]? —preguntaban a cada momento y ella, la Régula, o él, Paco, el Bajo, o los dos a la vez:

—Pues porque es muy pequeña la Charito.

Claro, lo decían por contestar algo; ¿qué otra cosa podían decirles? Pero Paco, el Bajo, quería que los muchachos aprendiesen, que el Hachemita aseguraba en Cordovilla que los muchachos podían dejar de ser pobres con unos pocos conocimientos. E incluso la propia Señora Marquesa[32], para

21

acabar con el analfabetismo[33] en el cortijo, hizo venir durante tres veranos seguidos a dos señoritos de la ciudad que, al terminar el trabajo del día, les enseñaban las letras y sus mil posibilidades. Y todos, cuando les preguntaban, decían:

—La B con la A hace BA, y la C con la A hace ZA.

Y entonces, los señoritos de la ciudad, el señorito Gabriel y el señorito Lucas los corregían y les decían:

—Pues no, la C con la A hace KA, y la C con la I hace CI, y la C con la E hace CE, y la C con la O hace KO.

Y ellos se decían entre sí sorprendidos:

—También tienen unas cosas... Parece que a los señoritos les gusta hacer bromas.

Pero no se atrevían a levantar la voz, hasta que una noche, Paco, el Bajo, se tomó dos copas y se fue hacia el señorito alto, el de su grupo, y preguntó:

—Señorito Lucas, y ¿por qué esos caprichos[34]?

Y el señorito Lucas empezó a reír y a reír sin control, y al fin, cuando se calmó un poco, se limpió los ojos con el pañuelo y dijo:

—Es la gramática, oye, el porqué pregúntaselo a los académicos[35].

Y no dijo más, pero eso no era más que el comienzo, que una tarde llegó la G y el señorito Lucas les dijo:

—La G con la A hace GA, pero la G con la I hace JI.

Y Paco, el Bajo, se enfadó, que eso ya era demasiado, que ellos eran analfabetos[33], pero no tontos, y que por qué la

E y la I tenían siempre que ser especiales. Y el señorito Lucas no paraba de reír, que se moría el hombre de la gracia que le hacía, una risa exagerada y nerviosa. Y como de costumbre, que eso lo establecía la gramática y que él nada podía decir contra la gramática. Pero que, si se sentían engañados, podían escribir a los académicos, ya que él sólo les contaba las cosas tal como eran. Pero a Paco, el Bajo, todas estas tonterías le ponían de mal humor y su enfado llegó al máximo cuando, una noche, el señorito Lucas les dibujó una H mayúscula en la pizarra. Y después de pedir silencio para que todos prestasen atención, dijo:

—Mucho cuidado con esta letra; esta letra es un caso único, amigos; esta letra es muda[36].

Y Paco, el Bajo, pensó: «Mira, como la Charito». Porque la Charito, la Niña Chica, nunca decía nada, que únicamente de vez en cuando daba un grito terrible que movía la casa entera. Pero al oír las palabras del señorito Lucas, Facundo, el Porquero, cruzó sus manazas sobre su enorme estómago y dijo:

—¿Qué quiere decir eso de que es muda? Tampoco las otras hablan si nosotros no les prestamos la voz.

Y el señorito Lucas, el alto:

—Que es como si no estuviera, que no hace nada.

Y Facundo, el Porquero, sin moverse:

—Y ¿para qué se pone, entonces?

Y el señorito Lucas:

—Cosas de la gramática, únicamente para que resulten bonitas las palabras, para que la vocal que la sigue no se quede sola. Pero eso sí, aquel que no la coloque en su sitio hará una grave falta de gramática.

Y Paco, el Bajo, cada vez más confundido, pero a la mañana siguiente, ponía la silla al caballo y se marchaba al monte, a vigilar, que ése era su trabajo. Aunque desde que el señorito Lucas empezó con aquello de las letras ya no era el mismo, que no podía pensar en otra cosa. Y en cuanto se alejaba del cortijo, se bajaba del caballo, se sentaba a la sombra de un árbol y empezaba a pensar. Y cuando las ideas se le confundían en la cabeza unas con otras, cogía piedrecitas, y las blancas eran la E y la I, y las grises eran la A, la O y la U. Y entonces, empezaba a unir unas con otras para ver cómo tenían que oírse juntas. Pero seguía confundido, y por la noche comentaba sus dudas a la Régula en la cama y, de unas cosas pasaba a otras, y la Régula:

—Estáte quieto, Paco, el Rogelio está aún despierto.

Y si Paco, el Bajo, insistía, ella:

—Estáte quieto; ya somos mayores para estos juegos.

Y de repente, se oía el terrible grito de la Niña Chica y Paco se quedaba frío y muy quieto, pensando que algún mal oculto debía de tener él en el sexo para haber hecho una muchacha inútil y muda como la letra hache. Que al menos la Nieves era lista; pero la Nieves, que desde pequeña limpiaba a la Niña Chica y le lavaba las bragas, no llegó a ir a la escuela porque por aquel tiempo estaban ya en la Raya del Abendújar. Y Paco, el Bajo, cada mañana, antes de poner la silla al caballo, enseñaba a la muchacha cómo hacía la B con la A y la C con la A y la C con la I. Y la muchacha, que era muy lista, tan pronto llegó la Z y le dijo: «La Z con la I hace CI», respondió sin dudar:

—Esa letra no hace falta, padre, para eso está la C.

Y Paco, el Bajo, reía, intentando exagerar la risa como hacía el señorito Lucas.

—Eso cuéntaselo a los académicos.

Y por las noches, lleno de orgullo, le decía a la Régula:

—La muchacha esta ve crecer la hierba[37].

Y la Régula comentaba:

—Claro, tiene su propia inteligencia y la de la otra.

Y Paco:

—¿Qué otra?

Y la Régula, sin perder su calma habitual:

—La Niña Chica, ¿en qué estás pensando, Paco?

Y Paco:

—Tu inteligencia tiene.

Y empezaba a abrazar a la Régula, y ella:

—Estáte quieto, Paco, que la inteligencia no está ahí.

Y Paco, el Bajo, otra vez, hasta que, de repente, el grito de la Niña Chica rompía el silencio de la noche y Paco se quedaba quieto, y finalmente decía:

—Hasta mañana, Régula, y que descanses.

Y con los años, le habían tomado cariño a la Raya del Abendújar y a la casita blanca y al enorme árbol que le daba sombra y al río. Pero una mañana de octubre, Paco, el Bajo, salió a la puerta como todas las mañanas y, nada más salir, levantó la cabeza, movió la nariz y:

—Se acerca un caballo —dijo.

Y la Régula, a su lado, se protegió los ojos con la mano derecha y miró hacia el camino.

—No se ve a nadie, Paco.

Pero Paco, el Bajo, continuaba oliendo como un perro:

—El Crespo es, si no me equivoco —añadió.

Porque Paco, el Bajo, como decía el señorito Iván, tenía mejor nariz que un perro pointer, y efectivamente no había transcurrido un cuarto de hora cuando se presentó en la Raya Crespo, el Guarda Mayor.

—Paco, recoge las cosas, que vuelves al cortijo —le dijo sin más explicaciones, y Paco:

—¿Y eso?

—Don Pedro, el Périto, lo mandó. A mediodía vendrá el Lucio. Tú ya cumpliste.

Y al caer la tarde, Paco y la Régula pusieron sus cosas en el carro[38] y empezaron el camino de vuelta. Y en lo alto, entre los colchones de lana, iban los muchachos; y en la parte de atrás, la Régula con la Niña Chica, que no paraba de gritar y se le caía la cabeza para un lado y para el otro, y sus flacas piernecitas sin vida asomaban bajo el vestido.

Y Paco, el Bajo, subido en su caballo le decía a la Régula levantando la voz por encima del *tantarantán* de las ruedas:

—Ahora la Nieves nos entrará en la escuela y Dios sabe dónde puede llegar con lo lista que es.

Y la Régula:

—Ya veremos.

Y desde lo alto del caballo, añadía Paco, el Bajo:

—Los muchachos ya te tienen edad de trabajar, serán una ayuda para la casa.

Y la Régula:

—Ya veremos.

Y continuaba Paco, el Bajo, nervioso con el cambio:

—Quizá la casa nueva te tiene una habitación más y podemos volver a ser jóvenes.

Y la Régula suspiraba, cantaba a la Niña Chica y le quitaba los mosquitos. Mientras, por encima del camino, sobre los negros encinares, se encendían una a una las estrellas y la Régula miraba a lo alto, volvía a suspirar y decía:

—Para volver a ser jóvenes tendría que callar ésta.

Y cuando llegaron al cortijo, Crespo, el Guarda Mayor, los esperaba al pie de la vieja casa, la misma que abandonaron cinco años atrás. Y Paco lo miró todo tristemente y movió la cabeza de un lado a otro y después bajó los ojos.

—Bueno... —dijo—, Dios así lo querrá.

Y un poco más allá, dando órdenes, estaba don Pedro, el Périto.

—Buenas noches, don Pedro, aquí estamos de nuevo para lo que quiera mandar.

—Buenas noches, Paco. ¿Todo bien en la Raya?

—Todo bien, don Pedro.

Y mientras sacaban las cosas del carro, don Pedro los seguía del carro a la puerta y de la puerta al carro.

—Digo, Régula, que tú tendrás que ocuparte del portón como hacías antes, y abrirlo tan pronto como oigas el coche. Que ya sabes que ni la Señora ni el señorito Iván avisan y no les gusta esperar.

Y la Régula:

—A mandar, don Pedro, para eso estamos.

Y don Pedro:

—Al amanecer limpiarás las jaulas, que si no, ¡uf, qué olor! Y ya sabes que la Señora es buena, pero le gusta que todo esté en su sitio.

Y la Régula:

—A mandar, don Pedro, para eso estamos.

Y don Pedro, el Périto, continuó dándole instrucciones, que no paraba de darle instrucciones y, al terminar, se quedó extrañamente callado como si olvidara algo importante. Y la Régula:

—¿Alguna cosa más, don Pedro?

Y don Pedro, el Périto, nervioso, miraba hacia la Nieves, pero no decía nada y, al fin, cuando parecía que iba a marcharse sin mover los labios, se volvió de pronto hacia la Régula.

—Esto es cosa aparte, Régula —dijo—. En realidad éstas son cosas para hablar entre mujeres, pero...

Y el silencio se hizo más profundo, hasta que la Régula:

—Usted dirá, don Pedro.

Y don Pedro:

—Me refiero a la niña, Régula, que la niña podría ayudar en casa a mi mujer, que ella no puede con todo el trabajo de la casa —sonrió amargamente—. Que no le gusta, vaya, y la niña ya está crecida. Que ¡cómo ha crecido la niña esta en poco tiempo!

Y según hablaba don Pedro, el Périto, Paco, el Bajo, se iba apagando poco a poco. Y miró para la Régula y la Régula miró para Paco, el Bajo, y después Paco, el Bajo, levantó los hombros y dijo:

—Lo que usted mande, don Pedro, para eso estamos.

Y, de repente, don Pedro empezó a hablar y a hablar sin sentido como si quisiera ocultarse bajo sus propias palabras, que no paraba, que:

—Ahora todos quieren ser señoritos, Paco, ya lo sabes; que ya no es como antes, que hoy nadie quiere mancharse las manos y unos se van a la capital y otros al extranjero. Que se piensan que con eso han resuelto el problema, imagina, pero luego resulta que, a lo mejor, van a pasar hambre o morirse de aburrimiento, ¡quién sabe! Que otra cosa no, pero a la niña en casa no le faltará nada, no es porque yo lo diga...

Y la Régula y Paco, el Bajo, afirmaban con la cabeza y se miraban sin decir ni una palabra, pero don Pedro, el Périto, no se daba cuenta de ello, que estaba muy nervioso, don Pedro, el Périto.

—Y si vosotros estáis de acuerdo, mañana por la mañana esperamos a la niña en casa. Y para que no la echéis de menos, por las noches puede dormir aquí.

Y después de muchos movimientos exagerados, don Pedro se marchó y la Régula y Paco, el Bajo, empezaron a colocar sus cosas en silencio, y después cenaron y, al terminar la cena, se sentaron junto al fuego.

Por la mañana, la Nieves se presentó puntualmente en la Casa de Arriba y al día siguiente lo mismo, hasta que esto se hizo una costumbre y empezaron a transcurrir los días. Y, en cuanto llegó mayo, se presentó un día el Carlos Alberto, el hijo mayor del señorito Iván, a hacer la comunión[39] en la pequeña iglesia del cortijo y dos días después, la Señora Marquesa con el Obispo[40] en el coche grande. Y la Régula, tan pronto como abrió el portón, se quedó sorprendida, sin saber muy bien qué hacer y al principio, confundida, se puso de rodillas. Pero la Señora Marquesa le dijo desde su altura:

—El anillo, Régula, el anillo.

Y fue la Régula, entonces, y se comió a besos el anillo mientras el Obispo sonreía y alejaba la mano un poco nervioso.

Y al día siguiente se celebró la fiesta y, después de la ceremonia en la pequeña iglesia, el personal se reunió en el patio a comer chocolate y:

—¡Que viva el señorito Carlos Alberto!

—¡Que viva la Señora! —gritaban llenos de alegría.

Pero la Nieves no pudo asistir porque estaba sirviendo a los invitados en la Casa Grande. Y lo hacía con gran elegancia, que retiraba los platos sucios con la mano izquierda y ponía los limpios con la derecha. Y cuando ofrecía la comida apenas se adelantaba suavemente sobre el hombro izquierdo del invitado, el brazo derecho a la espalda, dibujando una sonrisa. Y todo lo hacía tan correctamente que la Señora se fijó en ella y le preguntó a don Pedro, el Périto, de dónde había sacado aquella joya. Y don Pedro, el Périto, sorprendido:

—Es la hija de Paco, el Bajo, el secretario[41] de Iván, el que estuvo hasta hace unos meses en la Raya del Abendújar; la menor, que ha crecido de repente.

Y la Señora:

—¿La de Régula?

Y don Pedro, el Périto:

—Exactamente, la de Régula. Purita le enseñó todo lo que sabe en cuatro semanas; la niña es lista.

Y la Señora no dejaba de mirar a la Nieves, observaba cada uno de sus movimientos y, en una de estas veces, le dijo a su hija:

—Miriam, ¿te has fijado en esa muchacha? ¡Qué aspecto! ¡Qué manera de andar! Enseñándole un poco podría ser una buena primera doncella.

–Miriam, ¿te has fijado en esa muchacha? ¡Qué aspecto! ¡Qué manera de andar! Enseñándole un poco podría ser una buena primera doncella[42].

Y la señorita Miriam miraba a la Nieves.

–Verdaderamente, la chica no está mal –dijo–, quizá tiene demasiado de aquí.

Y se señalaba el pecho, pero la Nieves no se daba cuenta de nada, se sentía nerviosa delante del niño, el Carlos Alberto, tan rubio, tan guapo, con su traje blanco. De manera que, al servirle, le sonreía como si sonriera a un espíritu del cielo[43]. Y por la noche, tan pronto como llegó a casa, aunque estaba muy cansada por el trabajo del día, le dijo a Paco, el Bajo:

–Padre, yo quiero hacer la comunión.

Pero lo dijo tan convencida que Paco, el Bajo, se asustó.

–¿Qué dices?

Y ella, empeñada:

–Que quiero hacer la comunión, padre.

Y Paco, el Bajo, se llevó las dos manos a la cabeza.

–Habrá que hablar con don Pedro, niña.

Y don Pedro, el Périto, al oír en boca de Paco, el Bajo, las intenciones de la niña, empezó a reír.

–¿Cómo, Paco? Vamos a ver, habla, ¿en qué se basa la niña para querer hacer la comunión? La comunión no es un capricho, Paco, es un asunto demasiado serio como para tomarlo a broma.

Y Paco, el Bajo, bajó la cabeza.

—Si usted lo dice.

Pero la Nieves no abandonaba su idea, y como don Pedro, el Périto, no le hacía caso, habló con doña Purita.

—Señorita, he cumplido catorce años y siento por aquí dentro como unas ganas.

Y, al principio, doña Purita la observó con gran sorpresa y, luego, abrió una boca muy roja.

—¡Qué ideas, niña! ¿No será un muchacho lo que tú estás necesitando?

Y se rió y repitió:

—¡Qué ideas!

Y desde entonces, las intenciones de la Nieves se tomaron en la Casa de Arriba y la Casa Grande como una barbaridad. Y cada vez que llegaban invitados del señorito Iván y la conversación, por un motivo u otro, moría o se hacía difícil, doña Purita señalaba a la Nieves con un dedo y decía:

—Pues ahí tienen a la niña, que ahora quiere hacer la comunión.

Y en la gran mesa, voces de sorpresa y miradas divertidas, y en la esquina una risa escondida y tan pronto como salía la niña, el señorito Iván:

—La culpa de todo la tiene este Concilio[44].

Y algún invitado dejaba de comer y le miraba como interrogándole, y entonces, el señorito Iván se consideraba en el deber de explicar:

—Las ideas de esta gente, insisten en que se los considere como a personas y eso no puede ser, vosotros lo estáis viendo. Pero la culpa no la tienen ellos, la culpa la tiene el Concilio.

Y en estos casos y en otros parecidos, doña Purita se volvía hacia el señorito Iván y le tocaba ligeramente la oreja con su naricita. Y el señorito Iván se asomaba al escote[45] de doña Purita y añadía, intentando justificar de alguna manera su actitud:

—¿Qué opinas tú, Pura, tú los conoces?

Pero don Pedro, el Périto, los observaba con atención y cuando se retiraban los invitados y doña Purita y él se quedaban solos en la Casa de Arriba, perdía el control.

—Te abres el escote únicamente cuando viene él para provocarle, ¿o es que crees que no me doy cuenta?

Y cada vez que volvían de la ciudad, del cine o del teatro, la misma historia, antes de bajar del coche ya se oían las voces de don Pedro, el Périto.

Pero doña Purita cantaba sin hacerle caso, se bajaba del coche y empezaba a hacer pasos de baile en la escalera y decía mirando sus pies pequeñitos:

—Si Dios me ha dado estas hermosuras, no soy quien para esconderlas.

Y don Pedro, el Périto, la perseguía, enfadado.

—No me refiero a lo que tienes, sino a lo que enseñas, que eres tú más espectáculo que el espectáculo.

35

Y ella, doña Purita, jamás perdía la calma, se paseaba por el pasillo moviéndose exageradamente, sin dejar de cantar. Y él, entonces, cerraba la puerta con fuerza.

—¡Te voy a enseñar a ti! —gritaba.

Y ella se paraba delante de él, dejaba de cantar y le miraba a los ojos.

—Yo sé que no te atreverás, cobarde, pero si un día me das un solo golpe no me vuelves a ver más —decía.

Y después de darse la vuelta, iba hacia sus habitaciones y él, detrás, gritaba y volvía a gritar moviendo los brazos. Y en el momento en que más gritaba, se le rompía la voz y empezaba a llorar diciendo:

—Disfrutas haciéndome sufrir, Pura, si te digo todo esto es porque te quiero.

Pero doña Purita se ponía enfrente del espejo del armario y se contemplaba desde diversos lados, moviendo la cabeza, el pelo y sonriéndose cada vez más. Mientras, don Pedro, el Périto, se tiraba encima de la cama, escondía la cara entre las manos y lloraba como un niño. Y la Nieves, que había sido testigo, recogía sus cosas y volvía a casa, y si, por casualidad, encontraba despierto a Paco, el Bajo, le decía:

—Otra vez han discutido, padre.

Y Paco, el Bajo, contestaba:

—Niña, a ti las cosas de la Casa de Arriba no te interesan, tú allí, oír, ver y callar.

LIBRO TERCERO

LA MILANA

Y entonces, se presentó en el cortijo el Azarías. Y la Régula le dio los buenos días, pero el Azarías ni la miraba, daba vueltas y hacía como si masticara algo sin nada en la boca. Y su hermana:

—¿Te pasa algo, Azarías, no estarás enfermo?

Y el Azarías, la vacía mirada en el fuego, callaba. Y la Régula:

—No se te habrá muerto la otra milana, como tú la llamas, ¿verdad, Azarías?

Y después de mucho insistir, el Azarías:

—El señorito me ha despedido.

Y la Régula:

—¿El señorito?

Y el Azarías:

—Dice que ya estoy viejo.

Y la Régula:

—Eso no puede decírtelo tu señorito, si te pusiste viejo, a su lado ha sido.

Y el Azarías:

—Yo tengo un año más que el señorito.

Y masticaba la nada, sentado en la silla, los brazos sobre las piernas, la cabeza entre las manos, la mirada vacía, perdida en el fuego. Pero, de repente, se oyó el grito de la Niña Chica y los ojos del Azarías se llenaron de luz y en sus labios apareció una sonrisa, y le dijo a su hermana:

—Tráeme a la Niña Chica.

Y la Régula:

—Estará sucia.

Y el Azarías:

—Tráeme a la Niña Chica.

Y tanto insistió que la Régula se levantó y volvió con la Charito, con sus piernecitas muertas, como las de una muñeca de trapo. Pero el Azarías la cogió con mucho cuidado y comenzó a rascarla suavemente entre los ojos mientras decía:

—Milana bonita, milana bonita...

Y tan pronto volvió Paco, el Bajo, la Régula salió a su encuentro.

—Tenemos visita, Paco, ¿a que no sabes quién ha venido?

Y Paco, el Bajo, olió un momento y dijo:

—Tu hermano.

Y ella:

—Exacto, pero esta vez no por una noche ni por dos, sino para quedarse. Él dice que el señorito le ha despedido, no sé, habrá que informarse.

Y a la mañana siguiente, en cuanto amaneció, Paco, el Bajo, subió al caballo y se presentó en el cortijo del señorito del Azarías. Pero el señorito descansaba, y Paco, el Bajo, empezó a hablar con la Lupe, la mujer de Dacio, el Porquero.

—Un cerdo, eso es lo que es, toda la cuadra llena de basura y además se orina las manos.

Y Paco, el Bajo:

—Eso no es nuevo, Lupe.

Y la Lupe:

—No, no es nuevo, pero, pasado mucho tiempo, cansa.

Y así hasta que apareció el señorito y Paco, el Bajo, entonces, se puso de pie, como tenía que ser.

—Buenos días.

—Buenos días, señorito.

Y al fin, sin saber muy bien cómo empezar, añadió:

—Señorito, el Azarías dice que usted le despidió, después de tantos años...

Y el señorito:

—Vamos a ver si nos entendemos: ¿Quién eres tú? ¿Quién te ha dicho a ti que te metas en este asunto?

Y Paco, el Bajo, con miedo:

—Perdone, el cuñado del Azarías, donde la Señora Marquesa. Trabajo para Crespo, el Guarda Mayor.

Y el señorito del Azarías:

—¡Ah, ya!

Y movía lentamente la cabeza, afirmando, los ojos cerrados como pensando y, al fin, admitió:

39

—Pues el Azarías no miente, es cierto que le despedí. Tú me dirás si podía hacer otra cosa, un tipo que se orina las manos. Yo no puedo comerme un pájaro que él haya limpiado, ¿te das cuenta? Y dime tú entonces, ¿para qué me sirve a mí en el cortijo un viejo como él que no tiene nada aquí?

Y se señalaba la frente, y Paco, el Bajo, los ojos puestos en sus botas, tardó un rato en hablar, pero al fin se atrevió y:

—Tiene razón, señorito, pero compréndame, mi cuñado nació aquí, que para diciembre sesenta y un años...

—Todo lo que quieras, tú, menos levantarme la voz, que si a tu cuñado le aguanté sesenta y un años, deberías estarme agradecido, ¿oyes?

Y Paco, el Bajo, afirmaba cada vez más débilmente:

—Si lo entiendo, señorito, pero es que, allí, en casa, dos habitaciones, con cuatro muchachos, ni movernos...

Y el señorito:

—Todo lo que quieras, tú, pero para situaciones así está la familia, ¿o no?

Y Paco, el Bajo:

—Si usted lo dice.

Y paso a paso se dirigía hacia el caballo, pero cuando se subió, al señorito del Azarías se le ocurrieron nuevas razones:

—Que además de lo que ya te he dicho, el Azarías quita los tapones a las ruedas de los coches de mis amigos, date cuenta, aunque sea el mismísimo ministro. Comprenderás que yo no puedo invitar a nadie para que ese idiota...

Y levantaba cada vez más la voz mientras Paco, el Bajo, se alejaba en su caballo.

—...le deje las ruedas en el suelo... ¡comprenderás...!

Pero la verdad es que el Azarías era un problema, igual que la Niña Chica, ya lo decía la Régula, inocentes, dos inocentes, eso eran. Pero al menos la Charito se estaba quieta mientras que el Azarías nunca, ni de día ni de noche. Y en cuanto amanecía, salía al patio e iba a limpiar las jaulas y, al terminar, tomaba un cubo en cada mano y decía:

—Me voy a coger abono[46] para las flores.

Y cruzaba el portón y se perdía en el monte, entre las jaras y las encinas, buscando a Antonio Abad, el Pastor, que a esa hora no podía estar lejos. Y en cuanto lo encontraba, empezaba a caminar lentamente detrás de las ovejas[47] agachándose y recogiendo las cagarrutas[48] recientes, hasta que llenaba los cubos. Y una vez llenos, volvía al cortijo y echaba las cagarrutas entre las plantas. Y así una mañana y otra, volvía de los encinares con dos cubos cargados de cagarrutas, de manera que, después de unas semanas, las flores surgían de unas montañitas negras de cagarrutas. Y al final, la Régula tuvo que regañarle:

—Más abono, no, Azarías, que si lo ve la Señora... Ahora paséame a la Niña Chica —le dijo.

Y por la noche pidió a Paco, el Bajo, que buscase alguna ocupación para el Azarías, porque los jardines tenían demasiado abono. Y si el Azarías no tenía nada que hacer, en seguida le entraba la perezosa y se acostaba en el monte y no obedecía a nadie. Pero por aquellos días, el Rogelio iba de aquí para allá conduciendo el tractor[49], un tractor rojo nuevecito, y cada vez que veía a la Régula preocupada por el Azarías, le decía:

—Yo me llevo al tío, madre.

Porque el Rogelio era alegre y le gustaba hablar, todo lo contrario que el Quirce, cada día más callado y antipático.

Y la Régula:

—¿Qué puede ocurrirle al Quirce? —se preguntaba.

Pero el Quirce no daba explicaciones. Y cada vez que tenía dos horas libres, desaparecía del cortijo y volvía por la noche, un poco borracho y serio, que nunca sonreía; nunca, excepto cuando su hermano Rogelio pedía al Azarías:

—Tío, ¿por qué no cuenta usted las patatas?

Y el Azarías se acercaba al montón de patatas y:

—Una, dos, tres, cuatro, cinco... —contaba con paciencia. Y siempre, al llegar a once, decía:

—Cuarenta y tres, cuarenta y cuatro, cuarenta y cinco...

Y entonces sí, entonces el Quirce sonreía con una sonrisa un poco fría, pero para una vez que sonreía, su madre, la Régula, le regañaba.

—¿Te parece bonito? Reírse de un viejo inocente es ofender a Dios.

Y enfadada se iba a buscar a la Niña Chica, la tomaba en sus brazos y se la entregaba al Azarías.

—Toma, duérmetela, ella es la única que te comprende.

Y el Azarías cogía amorosamente a la Niña Chica y, sentado en el banco de la puerta, le decía:

—Milana bonita, milana bonita.

Hasta que los dos se quedaban dormidos sonriendo. Pero una mañana, la Régula, mientras peinaba a la Niña Chica, encontró un piojo[50] y se enfadó, y se fue donde el Azarías.

—Azarías, ¿cuánto tiempo hace que no te lavas?

—Eso los señoritos.

—¿Cómo los señoritos? El agua no cuesta dinero.

Y el Azarías, sin decir palabra, mostró sus manos de un lado y de otro, todas sucias, y finalmente dijo, a modo de explicación:

—Me las orino cada mañana para que no se me estropeen.

Y la Régula, furiosa:

—¡Cerdo! ¿No ves que tu suciedad se la pasas a la niña?

Pero el Azarías la miraba sorprendido, con la cabeza agachada; y su inocencia le dio lástima a su hermana:

—Vago, más que vago, tendré que ocuparme de ti como si fueras otro niño pequeño.

Y a la tarde siguiente se fue con el Rogelio a Cordovilla, donde el Hachemita, y compró tres camisetas, y de vuelta a casa le dijo al Azarías:

—Te pones una cada semana, ¿me has entendido?

Y el Azarías decía que sí, pero después de un mes la Régula volvió a buscarle:

—¿Puede saberse dónde pusiste las camisetas que te compré? Ya han pasado cuatro semanas y aún no te he lavado ninguna.

Y el Azarías bajó la mirada y no contestó, hasta que su hermana perdió la paciencia. Y agarrándole del cuello de la chaqueta, empezó a moverle y, según le movía, descubrió las camisetas, una encima de la otra, puestas, las tres.

—¡Cerdo, más que cerdo! Quítate eso, ¿oyes?, quítate eso.

Y el Azarías, sin protestar, se quitó la rota chaqueta y luego las camisetas, una detrás de otra, las tres. Y la Régula:

—Cuando te quites una te pones la otra, la limpia. Quita y pon, ésa es toda la ciencia.

Y el Rogelio no paraba de reír, que se tapaba la boca con su mano grande y morena para callar la risa y no hacer enfadar a su madre, y Paco, el Bajo, sentado en el banco, los contemplaba con disgusto y, al fin, bajaba la cabeza.

—Es aún peor que la Niña Chica —decía casi sin voz.

Y así fue pasando el tiempo y, con la llegada de la primavera, el Azarías empezó a ver cosas extrañas, y a todas horas se le aparecía su hermano, el Ireneo: de noche en blanco y negro, y de día en colores, grande, sobre el fondo azul del cielo, como vio un día a Dios-Padre en un cuadro. Y en esos casos, el Azarías se levantaba e iba donde la Régula:

—Hoy volvió el Ireneo, Régula —decía.

—¡Otra vez! Deja tranquilo al pobre Ireneo.

Y el Azarías:

–En el cielo está.

Pero las cosas del Azarías en seguida se sabían en el cortijo y los porqueros y los pastores le buscaban y le preguntaban:

–¿Qué pasó con el Ireneo, Azarías?

Y el Azarías levantaba los hombros.

–Se murió. Franco[51] lo mandó al cielo.

Y ellos, como si fuera la primera vez que se lo preguntaban:

–Y ¿cuándo fue eso, Azarías, cuándo fue eso?

Y el Azarías movía repetidamente los labios antes de responder:

–Hace mucho tiempo, cuando los moros[52].

Y ellos trataban de esconder la risa e insistían:

–¿Y estás seguro de que Franco le mandó al cielo, no le mandaría al infierno[53]?

Y el Azarías negaba con la cabeza, sonreía y señalaba a lo alto, a lo azul.

–Yo lo veo ahí arriba cada vez que me acuesto entre la jara –explicaba.

Pero lo más grave para Paco, el Bajo, era que el Azarías daba de vientre en cualquier lugar del cortijo. A cualquier hora del día o de la noche, su cuñado abandonaba la casa, buscaba un rincón, se bajaba los pantalones y lo hacía. Así que Paco, el Bajo, cada mañana salía al patio y trataba de

45

ocultar lo que su cuñado dejaba. Y cada lunes y cada martes el Azarías buscaba un nuevo lugar y Paco, el Bajo, venga, dale, a taparlo, pero a pesar de su empeño, cada vez que salía de casa y movía la nariz, le venía el mal olor y se lamentaba:

—¡Huele otra vez, Régula, tu hermano no tiene solución!

Y la Régula:

—Y ¿qué quieres que yo le haga?

Pero por aquellos días, el Azarías empezó a echar de menos las carreras del cárabo y cada vez que sorprendía a su cuñado quieto, parado, se acercaba hasta él:

—Llévame a correr el cárabo, Paco —le decía.

Y Paco, el Bajo, mudo, como si no le estuvieran hablando a él. Y el Azarías:

—Llévame a correr el cárabo, Paco.

Y Paco, el Bajo, mudo, como si no le estuvieran hablando, hasta que una tarde, sin saber cómo ni por qué, le vino la idea, que se abrió paso en su pequeña cabeza como una luz.

—Y si te llevo a correr el cárabo, ¿no volverás a dar de vientre en el cortijo? ¿Lo harás en el monte?

Y el Azarías:

—Si tú lo dices.

Y desde aquel día, Paco, el Bajo, cada vez que llegaba la noche, llevaba al Azarías con él al monte. Y ya noche cerrada, mientras Paco, el Bajo, se sentaba bajo un árbol a esperar, el Azarías se perdía en la oscuridad, entre las jaras y, después de un largo rato, Paco, el Bajo, oía su llamada:

—¡Eh!, ¡eh!

Y después, el silencio, y luego, la voz del Azarías de nuevo:

—¡Eh!, ¡eh!

Y después de llamarlo tres o cuatro veces sin respuesta, el cárabo respondía:

—¡Buhú!, ¡buhú!

Y entonces el Azarías echaba a correr, y el cárabo gritaba detrás y, de vez en cuando, soltaba su triste risa. Y Paco, el Bajo, oía los ruidos de las plantas al romperse y, poco después, el grito del cárabo y, después, su risa terrible y después, nada. Y transcurrido un cuarto de hora, aparecía el Azarías, la cara y las manos llenas de heridas, con su sonrisa feliz.

—Buena carrera le di, Paco.

Y Paco, el Bajo, a lo suyo:

—¿Diste de vientre?

Y el Azarías:

—Todavía no, Paco, no tuve tiempo.

Y Paco, el Bajo: .

—Pues, venga, date prisa.

Y el Azarías se alejaba unos metros y se bajaba los pantalones junto a un árbol y lo hacía. Y así un día y otro día, hasta que una tarde, a finales de mayo, se presentó el Rogelio con una grajeta[54] entre las manos.

—¡Tío, mire lo que le traigo!

Y todos salieron de la casa, y el Azarías, al ver el pequeño pájaro, lo tomó cariñosamente en sus manos y dijo:
—Milana bonita, milana bonita.

Y todos salieron de la casa, y el Azarías, al ver el pequeño pájaro, lo tomó cariñosamente en sus manos y dijo:

—Milana bonita, milana bonita.

Y sin parar de decirle tiernas palabras, entró en la casa, lo colocó en un cesto y salió en busca de materiales para construirle un nido[55]. Y por la noche le pidió al Quirce pienso[56] y lo echó en una lata vieja, con agua, y acercó un poco al pico del animal y dijo:

—Quiá, quiá, quiá.

Y la grajilla[54] lo mismo:

—¡Quiá, quiá, quiá!

Y él, el Azarías, cada vez que la grajilla abría el pico, le metía en su boca enorme un poco de pienso y el pájaro se lo comía, y así repetidas veces, hasta que se llenaba. Pero media hora más tarde, volvía a pedir comida. Y el Azarías otra vez mientras decía tiernamente:

—Milana bonita.

Y la Régula miraba al Azarías y le decía al Rogelio:

—Buena idea tuviste.

Y el Azarías no se olvidaba del pájaro ni de día ni de noche, y en cuanto le salieron las primeras plumas, corrió feliz, de puerta en puerta, una sonrisa tonta entre los labios.

—A la milana ya le están saliendo las plumas —repetía.

Y todos le felicitaban o le preguntaban por el Ireneo, menos su sobrino, el Quirce, quien le dirigió su oscura mirada y le dijo:

—Y ¿para qué quiere en casa ese pájaro? ¡Huele mal!

Y el Azarías volvió a él sus ojos sorprendidos:

—No huele mal, es la milana.

Pero el Quirce negó con la cabeza y dijo:

—Es un pájaro negro y nada bueno puede traer a casa un pájaro negro.

Y el Azarías le miró un momento sin entender y, finalmente, puso sus tiernos ojos sobre el nido y se olvidó del Quirce.

Y pasó un día y otro y la grajilla crecía y crecía dentro del nido, por lo que, ahora, cada vez que Paco, el Bajo, llevaba al Azarías a correr el cárabo, éste decía nervioso:

—Vamos, Paco, la milana me está esperando.

Y Paco, el Bajo:

—¿Diste de vientre?

Y el Azarías:

—La milana me está esperando, Paco.

Y Paco, el Bajo, sin cambiar de expresión:

—Si no das de vientre, estamos aquí hasta que amanezca y la milana se muera de hambre.

Y el Azarías se bajaba los pantalones, pero antes de terminar ya estaba de pie otra vez.

—Venga, Paco, date prisa. La milana me está esperando.

Y esta historia se repetía cada día, hasta que una mañana, tres semanas más tarde, mientras paseaba a la grajeta sobre su brazo, ésta empezó un tímido vuelo, un vuelo corto y blando, hasta alcanzar la parte más alta de un árbol. Y al verla allí, por primera vez lejos de su mano, el Azarías se lamentaba:

—La milana se me ha escapado, Régula.

Y se asomó la Régula:

—Déjala que vuele, Dios le dio alas para volar.

Pero el Azarías:

—Yo no quiero que se me escape la milana, Régula.

Y miraba con dolor para la parte más alta del árbol, y la grajilla volvía sus ojos a los lados descubriendo nuevos paisajes, y después giraba la cabeza y, con el pico, se quitaba los piojos. Y el Azarías, poniendo en sus palabras todo el amor del que era capaz, decía:

—Milana bonita, milana bonita.

Pero el pájaro como si nada, y tan pronto como la Régula acercó al árbol la escalera de mano con intención de cogerlo, la grajilla movió las alas un rato, y finalmente, en un vuelo poco decidido, alcanzó el tejado de la iglesia. Y el Azarías la miraba llorando como regañándola por su actitud.

—No estaba contenta conmigo —decía.

Y entonces se presentó el Crispulo, y luego el Rogelio, y la Pepa, y el Facundo, y el Crespo, y todos los demás, los ojos en alto, en el tejado de la iglesia. Y el Rogelio reía, y el Facundo:

—A ver, en cuanto saben lo que es la libertad.

E insistía la Régula:

—Dios dio alas a los pájaros para volar.

Y el Azarías lloraba y repetía:

—Milana bonita, milana bonita.

Y según hablaba, se separaba del grupo, reunido en la sombra del árbol, los ojos en el tejado, hasta que quedó solo en el centro del patio, bajo el sol furioso de julio, su propia sombra como una pelota negra, a los pies. Hasta que, de pronto, levantó la cabeza y gritó:

—¡Quiá!

Y arriba, la grajilla miró el patio, se movió nerviosa y volvió a quedarse quieta, y el Azarías, que la miraba, repitió entonces:

—¡Quiá!

Y la grajilla movió el cuello y le miró, y en ese momento el Azarías repitió amorosamente:

—¡Quiá!

Y de pronto sucedió lo que nadie esperaba, y como si entre el Azarías y la grajilla se hubiera establecido una comunicación secreta, el pájaro empezó a gritar:

—¡Quiá, quiá, quiá!

Y en la sombra del árbol se hizo un silencio muy grande. Y de repente, el pájaro comenzó un suave vuelo hacia adelante y, ante la mirada sorprendida del grupo, dio tres amplias vueltas sobre el patio y, finalmente, se colocó en el hombro derecho del Azarías. Y Azarías sonreía, sin moverse, volviendo ligeramente la cabeza hacia el pájaro repitiendo:

—Milana bonita, milana bonita.

LIBRO CUARTO

EL SECRETARIO

A mitad de junio, el Quirce comenzó a sacar a las ovejas cada tarde, mientras su hermano Rogelio no paraba, el pobre hombre, con el jeep arriba, con el tractor abajo, siempre de un lado para otro. Y el señorito Iván, cada vez que visitaba el cortijo, observaba a los dos, al Quirce y al Rogelio, llamaba al Crespo y le decía en voz baja:

—Crespo, cuídame a estos muchachos; Paco, el Bajo, ya está viejo y yo no puedo quedarme sin secretario.

Pero ni el Quirce ni el Rogelio tenían el extraordinario olfato[57] de su padre, porque su padre, el Paco, era un caso de estudio. ¡Dios mío!, desde pequeñito... Le soltaban una perdiz[58] en el monte y él se ponía a cuatro patas y seguía el rastro con su nariz pegada al suelo sin una duda, como un perro. Que el señorito Iván no se lo podía explicar, cerraba sus ojos verdes y le preguntaba:

—Pero, ¿a qué huele una perdiz, Paco, maricón[59]?

Y Paco, el Bajo:

—¿De verdad no lo huele usted, señorito?

Y el señorito Iván:

—Si lo oliera no te lo preguntaría.

Y en la época en que el señorito Iván era el Ivancito, que, de niño, Paco le decía el Ivancito al señorito Iván, la misma historia.

—¿A qué huele una perdiz, Paco?

Y Paco, el Bajo:

—¿De verdad que tú no lo hueles?

Y el Ivancito:

—Pues no, a mí no me huele a nada.

Y Paco:

—Ya aprenderás, ya verás cuando tengas más años.

Porque Paco, el Bajo, no se dio cuenta de sus condiciones para la caza hasta que comprobó que los demás no eran capaces de hacer lo que él hacía. Y ésta era la causa de sus conversaciones con el Ivancito, que el niño empezó bien pronto a cazar. Y siempre con la escopeta[60] en la mano, siempre, pim-pam, pim-pam, de día y de noche, en invierno o en verano. Y el año 43, el Día de la Raza[61], con apenas trece años, el Ivancito quedó entre los tres primeros, que había momentos en que tenía cuatro pájaros muertos en el aire, algo increíble, un chico tan pequeño entre los mejores cazadores de Madrid. Y ya desde ese día, el Ivancito quiso ir siempre con Paco, el Bajo. Y decidió que Paco, el Bajo, fuera el mejor, y el Ivancito le entregó un día dos cartuchos[62] y una escopeta vieja y le dijo:

—Cada noche, antes de acostarte, mete y saca los cartuchos de la escopeta hasta cien veces, Paco, hasta que te canses.

Y añadió después de un rato:

—Si además de tu olfato y tu memoria, logras ser el más rápido de todos con los cartuchos, no habrá en el mundo un secretario mejor que tú, te lo digo yo.

Y Paco, el Bajo, que obedecía porque él era así, cada noche, antes de acostarse, ris-ras, abrir y cerrar la escopeta, ris-ras, meter y sacar los cartuchos, que la Régula:

—¿Estás tonto, Paco?

Y Paco, el Bajo:

—El Ivancito dice que puedo ser el mejor.

Y un mes más tarde:

—Ivancito, en un segundo te meto y te saco los cartuchos de la escopeta.

Y el Ivancito:

—Eso hay que verlo, Paco.

Y Paco se lo demostró al muchacho, y:

—Esto marcha, Paco, no lo dejes, sigue así —dijo el Ivancito.

Y de este modo, Ivancito por aquí, Ivancito por allá, ni se daba cuenta Paco de que pasaba el tiempo. Hasta que una mañana, ocurrió lo que tenía que ocurrir, o sea, Paco, el Bajo, le dijo con la mejor intención:

—Ivancito, cuidado, a la derecha.

Y el Ivancito se preparó en silencio y mató dos perdices por delante y dos por detrás. Y antes de que llegara la primera al suelo, el Ivancito volvió los ojos hacia Paco y le dijo:

—A partir de hoy, Paco, llámame de usted y señorito Iván, ya no soy un muchacho.

Que para aquel entonces ya había cumplido el Ivancito dieciséis años y Paco, el Bajo, fue y le pidió perdón. Y con el tiempo, la pasión por la caza le creció en el pecho al señorito Iván. Y era cosa sabida que en cada batida[63], no sólo era el que más mataba, sino también quien alcanzaba la perdiz más alta. Y en esta cuestión no admitía dudas y siempre le ponía a Paco por testigo.

—«Demasiado alta para haberla matado yo» dice el Ministro, Paco. Oye, ¿a qué distancia disparé yo al pájaro aquel de la primera batida? El que se escondió entre las nubes, aquel que cayó en el agua.

Y Paco, el Bajo, abría unos ojos enormes, levantaba la cabeza y afirmaba:

—El pájaro perdiz aquel no volaba a menos de noventa metros.

Y aunque, en realidad, el señorito Iván no conocía la distancia a que el otro había disparado a su perdiz, las suyas eran siempre más difíciles y volaban más alto; y, para demostrarlo, tenía la palabra de Paco, el Bajo. Y esto, a Paco, el Bajo, le llenaba de orgullo, y también, que lo que más envidiaban al señorito Iván los amigos del señorito Iván fuera el olfato de su secretario.

—Ni el perro más listo te haría el servicio de este hombre, Iván, que no sabes lo que tienes —le decían.

Y en ocasiones, en el entusiasmo de la batida, cuando las perdices volaban asustadas, brrrr, brrrr, brrrr, por todas partes, y el señorito Iván mataba dos juntas aquí y otras dos allá, y se oían disparos a izquierda y derecha, y Paco, el Bajo, contaba en voz baja, treinta y dos, treinta y cuatro, treinta y cinco, y cambiando la escopeta vacía por otra con cartuchos, hasta cinco veces, bueno, en esos casos, Paco, el Bajo, se ponía muy nervioso. Y decía, masticando las palabras para no asustar a los pájaros:

—¡Suélteme, señorito, suélteme!

Y el señorito Iván, secamente:

—¡Estáte quieto, Paco!

Y él, Paco, el Bajo:

—¡Suélteme, señorito, suélteme! ¡Por su madre se lo pido, señorito! —cada vez más nervioso, y el señorito Iván sin dejar de disparar:

—Mira, Paco, no hagas que me enfade, espera a que termine la batida.

Pero a Paco, el Bajo, el ver caer las perdices muertas delante de sus narices, le hacía perder la calma:

—¡Suélteme, señorito, por Dios se lo pido!

Hasta que el señorito Iván se enfadaba y le decía:

—Si sales de aquí antes de tiempo, te disparo, Paco, tú ya sabes cómo soy yo.

Pero era el suyo un enfado que desaparecía pronto, porque minutos después, Paco, el Bajo, empezaba a traerle las perdices y se presentaba con sesenta y cuatro de las sesenta y cinco que había matado. Y le decía nerviosamente:

—El pájaro perdiz que falta, señorito Iván, el que mató usted cerca de la jara, me lo ha robado el Facundo, dice que es de su señorito.

Y el señorito Iván se dirigía hacia Facundo.

—¡Facundo! —gritaba.

Y venía Facundo.

—¡Eh, tú, listo! El pájaro perdiz ese de la jara es mío y muy mío, así que venga.

Enseñaba la mano abierta, pero el Facundo miraba sin expresión.

—Otro mató mi señorito cerca de la jara.

Pero el señorito Iván le acercaba aún más la mano y empezaba a sentir calor en los dedos:

—Mira, no me calientes la sangre, Facundo, no me calientes la sangre. Ya sabes que no hay cosa que más me moleste que me roben los pájaros que yo mato; así que venga, dame esa perdiz.

Y llegados a este momento, Facundo le entregaba la perdiz sin protestar, la historia de siempre. Y René, el francés, que era un habitual de las batidas hasta que pasó lo que pasó, no podía creerlo la primera vez:

—¿Cómo ser posible matar sesenta y cinco perdices Iván y coger sesenta y cinco perdices Paco? Mí no comprender —repetía.

Y Paco, el Bajo, orgulloso, se sonreía y se señalaba la cabeza.

—Las apunto aquí —decía.

Y el francés abría mucho los ojos.

—¡Ah, ah, las apunta en la teta[64]!

Y Paco, el Bajo, de nuevo junto al señorito Iván:

—La teta dijo, señorito Iván, que creo yo que será cosa del habla de su país.

Y el señorito Iván:

—Mira, por una vez no te has equivocado.

Y desde aquel día, el señorito Iván y sus invitados, cada vez que se reunían sin señoras delante, tal como en un descanso de la caza a mediodía, decían teta por cabeza.

—Ese cartucho es muy fuerte, me ha levantado dolor de teta.

Y siempre, aunque lo dijeran ochenta veces, todos a reír. Y así hasta que de nuevo salían a cazar, y al terminar, el señorito Iván metía dos dedos en el bolsillo y le entregaba a Paco un billete de veinte duros[65].

—Toma, Paco, y no te lo gastes en cosas malas. Que me parece a mí que tú gastas el dinero en tonterías.

Y Paco, el Bajo, agarraba el billete y al bolsillo.

—Pues, muchas gracias, señorito Iván.

Y a la mañana siguiente, la Régula se marchaba con Rogelio a Cordovilla, donde el Hachemita, a comprar alguna tela barata o algo para los muchachos, que nunca faltaba en casa una necesidad. Y así siempre, hasta que la última vez que asistió el francés se organizó una discusión en la Casa Grande, durante la comida. Según la Nieves, fue por el asunto de la cultura, que el señorito René dijo que en Centroeuropa la gente tenía otro nivel, y el señorito Iván:

—Eso te piensas tú, René, pero aquí ya no hay analfabetos, que tú te crees que todavía estamos en el año treinta y seis[66].

Y de un tema pasaron a otro y empezaron a gritarse el uno al otro, hasta que se olvidaron de la educación y se dijeron palabras fuertes. Y como último recurso, el señorito Iván, furioso, mandó llamar a Paco, el Bajo, a la Régula y al Ceferino, y:

—Es una tontería discutir, René, vas a verlo con tus propios ojos —gritaba.

Y al llegar Paco con los demás, el señorito Iván le dijo al francés:

—Mira, René, la verdad es que esta gente era analfabeta, pero ahora vas a ver. Tú, Paco, agarra el bolígrafo y escribe tu nombre, por favor, pero bien escrito, ten cuidado, que está en peligro el orgullo nacional.

Y toda la mesa miraba a Paco, el pobre hombre, y don Pedro, el Périto, colocó su mano sobre el brazo de René.

—Lo creas o no, René, desde hace años en este país se está haciendo todo lo humanamente posible para ayudar a ésta gente.

Y el señorito Iván:

—¡Chist!, no le entretengáis ahora.

Y Paco, el Bajo, nervioso por el silencio que había a su alrededor, dibujó una firma incomprensible en el papel amarillo que el señorito Iván le había puesto sobre el mantel. Y cuando terminó, devolvió el bolígrafo al señorito Iván y el señorito Iván se lo entregó al Ceferino.

—Ahora tú, Ceferino —dijo.

Y fue el Ceferino, con gran vergüenza y escribió su firma. Y por último, el señorito Iván se dirigió a la Régula:

—Ahora te toca a ti, Régula.

Y volviéndose al francés:

—Aquí no hacemos diferencias, René, entre hombres y mujeres, como podrás comprobar.

Y la Régula, con gran dificultad, porque el bolígrafo se le escapaba de entre los dedos, dibujó su nombre. Pero el señorito Iván, que estaba hablando con el francés, no se dio cuenta de las dificultades de la Régula. Y cuando ésta terminó, le cogió la mano derecha y la levantó para que todos la vieran.

—Esto para que lo cuentes en París, René, que los franceses tenéis muy malas intenciones cuando habláis de este país. Que esta mujer, por si lo quieres saber, hasta hace unos días no sabía firmar y ahora, ¡mira!

Y sonreía y para acabar con la situación se puso delante de los tres y les dijo:

—Venga, podéis marcharos, lo hicisteis bien.

Y en la mesa, todos sonreían, menos René, a quien le había cambiado la expresión, y no dijo nada, un silencio frío. Pero, la verdad, hechos como éste eran raros en el cortijo, pues normalmente, la vida transcurría tranquilamente, a excepción de las visitas de la Señora, que obligaban a la Régula a estar preparada para que el coche no esperase. Que si le hacía esperar unos minutos, ya empezaba el Maxi a protestar de malas maneras:

—¿Se puede saber dónde te metes? Llevamos media hora esperando.

Así que ella, aunque la sorprendieran cambiando las bragas a la Niña Chica, corría a abrir el portón sin lavarse las manos siquiera. Y en estos casos, la Señora Marquesa, tan pronto como bajaba del coche, movía la nariz, porque tenía casi tan buen olfato como Paco, el Bajo, y decía:

—Esas jaulas, Régula, pon cuidado, es muy desagradable este olor.

O algo parecido, pero de buenas maneras, y ella, la Régula, con vergüenza, escondía las manos.

—Sí, Señora, a mandar, para eso estamos.

Y la Señora paseaba su mirada lentamente por el pequeño jardín, buscando por todos los rincones. Y al terminar, subía a la Casa Grande y los llamaba a todos a la Sala del Espejo, uno por uno, empezando por don Pedro, el Périto, y terminando por Ceferino, el Porquero, todos. Y a cada uno le preguntaba por su trabajo y por la familia y por sus problemas y al despedirse les sonreía con una sonrisa amarilla, fría, lejana, y les entregaba una moneda de diez duros.

—Toma, para que celebréis en casa mi visita.

Menos a don Pedro, el Périto, naturalmente, que don Pedro, el Périto, era como de la familia, y todos salían muy contentos.

—La Señora es buena para los pobres —decían mirando la moneda.

Y al caer la tarde, asaban carne y la acompañaban con vino en abundancia y en seguida llegaba el entusiasmo, y:

—¡Que viva la Señora Marquesa! ¡Que viva por muchos años!

Y como es natural, todos terminaban un poco borrachos, pero contentos, y la Señora, desde la ventana, levantaba los dos brazos, les daba las buenas noches y a dormir. Y esto era así desde siempre, pero en su última visita, la Señora al bajarse del coche acompañada por la señorita Miriam se encontró con el Azarías junto a la fuente y dio un paso hacia atrás:

—A ti no te conozco, ¿de quién eres tú? —preguntó.

Y la Régula, rápidamente:

—Mi hermano es, Señora —contestó con miedo.

Y la Señora:

—¿De dónde lo sacaste?

Y la Régula:

—Estaba en la Jara, ya ve, sesenta y un años y le han despedido.

Y la Señora:

—Edad tiene para dejar de trabajar. ¿No estaría mejor recogido en un centro para personas mayores?

Y la Régula bajó la cabeza, pero dijo con energía:

—Mientras yo viva, un hijo de mi madre no morirá en un sitio de ésos.

Y entonces habló la señorita Miriam:

—Después de todo, mamá, ¿qué mal hace aquí? En el cortijo hay sitio para todos.

Y el Azarías sonrió a la señorita Miriam y a la nada y masticó dos veces antes de hablar, y:

—Le echo abono a las flores todas las mañanas.

Y la Señora:

—Eso está bien.

Y el Azarías, que empezaba a sentirse más seguro:

—Y por la noche salgo a correr el cárabo para que no se meta en el cortijo.

Y la Señora se dirigió a la Régula:

—¿Correr el cárabo? ¿Puedes decirme de qué está hablando tu hermano?

Y la Régula:

—Sus cosas, el Azarías no es malo, Señora, sólo un poco inocente.

Pero el Azarías continuaba:

—Y ahora me ocupo de una milana —sonrió.

Y la señorita Miriam, de nuevo:

—Hace bastantes cosas, mamá, ¿no te parece?

Y la Señora no le quitaba los ojos de encima, pero el Azarías, de repente, tomó a la señorita Miriam de la mano y dijo:

—Venga a ver la milana, señorita.

Y la señorita Miriam, arrastrada por la fuerza del hombre, le seguía y volvió un momento la cabeza para decir:

—Voy a ver la milana, mamá, no me esperes, subo en seguida.

Y el Azarías la condujo bajo el árbol y, una vez allí, sonrió, levantó la cabeza y dijo dulcemente:

—¡Quiá!

Y de repente, los ojos sorprendidos de la señorita Miriam vieron un pájaro negro que bajaba desde las ramas[67] más altas y se colocaba suavemente en el hombro del Azarías. Y éste volvió a tomar a la señorita Miriam de la mano y la condujo junto a la ventana. Tomó un poco de pienso de la lata y se lo ofreció al pájaro y el pájaro se lo comía. Y mientras, el Azarías le rascaba entre los ojos y repetía:

—Milana bonita, milana bonita.

Y el pájaro:

—¡Quiá, quiá, quiá! —pedía más, y la señorita Miriam:

—¡Qué hambre tiene!

Y al descubrir a la niña en la sombra, con sus piernecitas de trapo y la gran cabeza caída sobre la almohada, sintió que los ojos se le llenaban de lágrimas.

Y el Azarías no dejaba de darle pienso y, cuando estaba más ocupado con el pájaro, se oyó el grito de la Niña Chica dentro de la casa. Y la señorita Miriam, asustada:

—Y eso, ¿qué es? —preguntó.

Y el Azarías, nervioso:

—La Niña Chica es, venga —dijo.

Y entraron juntos en la casa y la señorita Miriam caminaba con miedo. Y al descubrir a la niña en la sombra, con sus piernecitas de trapo y la gran cabeza caída sobre la almohada, sintió que los ojos se le llenaban de lágrimas y se llevó las dos manos a la boca.

—¡Dios mío!

Y el Azarías la miraba, sonriendo. Pero la señorita Miriam no podía dejar de mirar a la Niña Chica, que parecía que se hubiera convertido en una escultura de sal la señorita Miriam, tan fría estaba, tan blanca.

—¡Dios mío! —repitió moviendo rápidamente la cabeza de un lado a otro como para escapar de un mal pensamiento.

Pero el Azarías ya había tomado entre sus brazos a la niña y, diciendo palabras incomprensibles, se sentó y colocó la cabecita de la niña en su brazo. Y agarrando la grajilla con la mano izquierda y un dedo de la Niña Chica con la derecha, lo acercó lentamente al animal para que le rascara entre los ojos. Y una vez que lo tocó, separó el dedo de repente, rió, apretó a la niña contra sí y dijo suavemente:

—¿No es cierto que es bonita la milana, niña?

67

LIBRO QUINTO

EL ACCIDENTE

AL llegar la época de la caza de palomas[68], el señorito Iván se instalaba en el cortijo por dos semanas y para esas fechas, Paco, el Bajo, ya lo tenía todo preparado. Así que tan pronto como aparecía el señorito, se marchaban en el Land Rover de un sitio a otro. Pero según transcurrían los años, a Paco, el Bajo, se le hacía cada vez más difícil subirse a las encinas y el señorito Iván, al verle abrazado a los troncos[69], reía.

—La edad no perdona, Paco, los años empiezan a pesarte, es ley de vida.

Pero Paco, el Bajo, por orgullo, por no darle la razón al señorito Iván, subía a la encina ayudándose de una cuerda y ataba al palomo en la parte más alta del árbol, y desde arriba:

—Todavía sirvo, señorito, ¿no le parece? —gritaba lleno de entusiasmo.

Y sentado en una rama, tiraba de la cuerda para que el palomo, al perder el equilibrio, moviese las alas. Mientras, el señorito Iván, oculto, miraba atentamente el cielo y le decía:

—Dos docenas de palomas, tira de la cuerda, Paco.

Y Paco, el Bajo, pues a tirar o a parar, pero el señorito Iván rara vez estaba contento.

—Más suave, maricón, ¿no ves que si sigues moviéndolo así se van a ir todas las palomas?

Y Paco, el Bajo, pues más suave, con más cuidado, hasta que, de pronto, media docena de palomas se separaba del grupo y el señorito Iván preparaba la escopeta y decía con voz dulce:

—Cuidado, ya se acercan.

Y en tales casos, Paco, el Bajo, tiraba de la cuerda con golpes cortos y secos para que el palomo se moviese sin abrir del todo las alas y, según se acercaban los pájaros, el señorito se preparaba y ¡pim-pam!

—¡Dos, la pareja!

Saltaba alegremente Paco entre las ramas, y el señorito Iván:

—Calla la boca, tú.

Y ¡pim-pam!

—¡Otras dos más! —gritaba Paco en lo alto sin poder callarse.

Y el señorito Iván:

—¿Es que no puedes callarte?

Pero entre pim-pam y pim-pam, a Paco, el Bajo, se le cansaban las piernas, tanto que se le quedaban dormidas. Y al bajar del árbol, muchas veces no sentía los pies y, si los sentía, eran blandos, absolutamente sin control. Pero el señorito Iván no se daba cuenta y le animaba a buscar otro árbol, pues le gustaba cambiar de zona cuatro o cinco veces por día. De manera que al terminar el día, a Paco, el Bajo, le dolían los hombros, y le dolían las manos, y le dolían las piernas y le dolía todo el cuerpo, que sentía los miembros como fuera de su sitio.

Pero a la mañana siguiente, otra vez a empezar, que el señorito Iván no se cansaba, que le apetecía este tipo de caza tanto o más que las perdices en batida, que no se cansaba el hombre. Y por la mañana, apenas había amanecido, ya estaba preparado.

—¿Estás cansado, Paco?

Sonreía y añadía:

—La edad no perdona, Paco.

Y Paco, el Bajo, se sentía herido en su orgullo y se subía a los árboles incluso más rápidamente que el día anterior, aunque corriera el riesgo de caerse. Y si las palomas no aparecían, pues abajo, a otro árbol. Y de este modo, de árbol en árbol, Paco, el Bajo, iba perdiendo sus energías. Pero delante del señorito Iván, que comenzaba a darse cuenta de lo que ocurría, tenía que ocultar que se cansaba y subía de nuevo. Y cuando ya estaba casi arriba, el señorito Iván:

—Ahí no, Paco, esa encina es muy pequeña, ¿es que no lo ves? Busca otra más alta como siempre has hecho, no me seas perezoso[18].

Y Paco, el Bajo, bajaba, buscaba una encina alta y otra vez arriba, arriba del todo. Pero una mañana:

—Ahora sí que tenemos un problema, señorito Iván, olvidé los capirotes[70] en casa.

Y el señorito Iván, que tenía ese día muchas ganas de cazar, que el cielo estaba negro por el gran número de palomas que pasaban, mandó:

—Pues deja ciego al palomo y no perdamos más tiempo.

Y Paco, el Bajo, preguntó:

—¿Lo dejo ciego, señorito Iván, o le hago un capirote con el pañuelo?

Y el señorito Iván:

—¿No me has oído?

Y Paco, el Bajo, cogió el cuchillo y sacó los ojos del pájaro y los movimientos del palomo ciego conseguían acercar a más pájaros que de costumbre y el señorito Iván le dijo:

—Paco, tienes que dejar ciegos a todos los palomos, ¿oyes? Con los capirotes entra la luz y los animales no reaccionan como deben.

Y así un día y otro, hasta que una tarde, después de semana y media de salir al campo, según bajaba Paco, el Bajo, de una encina enorme, con la pierna dormida, cayó dos metros delante del señorito Iván, y el señorito Iván, asustado, dio un salto.

—¡Casi te caes encima de mí!

Pero Paco no podía moverse y el señorito Iván se acercó a él y le cogió la cabeza.

—¿Te has hecho daño, Paco?

Pero Paco, el Bajo, no podía ni responder, que el golpe en el pecho le había dejado como sin aire y tan sólo se señalaba la pierna derecha.

—¡Ah, bueno, si solamente es eso...! —decía el señorito Iván y trataba de ayudar a Paco, el Bajo, a ponerse de pie. Pero Paco, el Bajo, cuando al fin pudo hablar, dijo, sosteniéndose en el tronco de la encina:

—La pierna esta no me sostiene, señorito Iván, está como tonta.

—¿Que está como tonta? ¡No me seas miedoso, Paco! Si dejas que se ponga fría va a ser peor.

Pero Paco, el Bajo, intentó dar un paso y cayó.

—No puedo señorito, está rota, yo mismo sentí cómo se partía el hueso.

Y el señorito Iván:

—¡También es mariconada[59]! Y ¿quién va a atarme los palomos ahora?

Y Paco, el Bajo, desde el suelo, sintiéndose culpable, dijo para calmarle:

—Tal vez el Quirce, mi muchacho, él es listo, señorito Iván, un poco callado pero puede servirle.

Y se tocaba la pierna porque le dolía. Y el señorito Iván dio unos pasos con la cabeza baja, dudando, pero finalmente gritó hacia el cortijo una, dos, tres veces, cada vez más fuerte, pero nadie contestaba a las voces.

–¿Seguro que no puedes andar, Paco?

Y Paco, el Bajo, sosteniéndose en el tronco de la encina:

–Mal lo veo, señorito Iván.

Y, de repente, asomó el muchacho mayor de Facundo, y el señorito Iván sacó del bolsillo un pañuelo blanco y lo movió repetidas veces, y el muchacho de Facundo respondió moviendo los brazos. Y un cuarto de hora más tarde, ya estaba junto a ellos, que cuando el señorito Iván llamaba, había que darse prisa, ya se sabía, sobre todo si estaba con la escopeta. Y el señorito Iván le puso fuertemente las manos en los hombros y le dijo:

–Que suban dos, ¿oyes?, los que sean, para ayudar a Paco que se ha hecho daño, y el Quirce para acompañarme a mí. ¿Has entendido?

Y según hablaba, el muchacho de ojos vivos afirmaba con la cabeza, y el señorito Iván señaló a Paco, el Bajo, y dijo:

–El maricón de él se ha caído, ya ves en qué mal momento.

Y al rato vinieron dos del cortijo y se llevaron a Paco, y el señorito Iván fue al encinar con el Quirce, tratando de hablar con él, pero el Quirce: «Sí, no, puede, es posible, a lo mejor». Serio, callado, que parecía mudo, pero a cambio, era muy preciso con el palomo, que sólo había que decirle «fuerte, suave, seco», para que cumpliera la orden. Y las palomas se acercaban tranquilas hasta ellos, y el señorito Iván, ¡pim-pam!, ¡pim-pam!, sin parar, pero no conseguía dar a ninguna paloma y se enfadaba. Y lo peor era que no podía echar la culpa a otros, y además le molestaba que el Quirce fuese testigo de sus faltas y le decía:

—El accidente de tu padre me ha puesto nervioso, muchacho, nunca había tenido un día de caza tan malo como el de hoy.

Y el Quirce, entre las ramas, respondía sin interés:

—Es posible.

Y el señorito Iván se enfadaba cada vez más:

—¿Cómo que es posible? ¡Lo que te estoy diciendo es la verdad!

Y ¡pim-pam!, ¡pim-pam!, ¡pim-pam!, y el Quirce, arriba, en silencio, quieto, parado. Y tan pronto como volvieron al cortijo, el señorito Iván pasó por casa de Paco.

—¿Cómo vamos, Paco?, ¿cómo te encuentras?

Y Paco, el Bajo, con la pierna sobre una silla:

—Así, así, señorito Iván. Está rota, señorito, ¿no oyó el hueso cuando se rompió?

Pero el señorito Iván sólo se preocupaba de sus cosas:

—Nunca había tenido un día de caza tan malo, Paco. ¿Qué pensará tu muchacho?

Y Paco, el Bajo:

—Es natural, señorito, estaría usted nervioso.

Y el señorito Iván:

—¡Natural, natural! No busques disculpas, Paco, con las horas de caza que yo llevo. ¿Cuándo me has visto tú perder una paloma al vuelo, de aquí al árbol?

Y el Quirce, detrás, aburrido, las palomas en una mano y la escopeta en la otra, en silencio. Y entonces apareció en la puerta de la casa el Azarías, descalzo, los pies sucios, el pantalón caído, sonriendo. Y Paco, algo nervioso, le señaló con un dedo:

—Aquí, mi cuñado —dijo.

Y el señorito Iván miró atentamente al Azarías.

—¡Qué familia tienes, Paco!

Pero el Azarías, como llevado por una fuerza ciega, se acercaba al Quirce mirando hacia las palomas muertas. Y de pronto, las cogió y empezó a mirarlas una por una, las tocaba en las patas y en el pico para ver si eran jóvenes o viejas. Y después de un rato, levantó los ojos y miró al señorito Iván.

—¿Les quito las plumas? —preguntó.

Y el señorito Iván:

—¿Es que sabes?

Y Paco, el Bajo, dijo:

—Pues claro, si es lo que ha hecho toda la vida.

Y sin más explicaciones, el señorito Iván cogió las palomas de la mano del Quirce y se las entregó al Azarías.

–Toma –dijo–, y cuando termines, se las llevas a doña Purita de mi parte, ¿te acordarás? En cuanto a ti, Paco, prepárate, nos vamos a Cordovilla, donde el médico, no me gusta esa pierna y el veintidós tenemos batida.

Y entre el señorito Iván, el Quirce y la Régula, sentaron a Paco, el Bajo, en el Land Rover y, una vez en Cordovilla, don Manuel, el doctor, le tocó el hueso e intentó moverlo y al terminar:

–Está roto –dijo.

Y el señorito Iván:

–¿Qué?

–Está roto.

Pero el señorito Iván no quería admitir las palabras del doctor.

–Manolo, el veintidós tenemos batida, yo no puedo estar sin él.

Y don Manuel, que tenía los ojos muy negros y muy juntos, levantó los hombros.

–Yo te digo lo que hay, Iván, luego tú haces lo que quieras; tú eres el amo de la burra[71].

Y el señorito Iván movió la boca, molesto:

–No es eso, Manolo.

Y el doctor:

–De momento no puedo hacer otra cosa que ponerle una férula[72]. Hay que esperar. Dentro de una semana le vuelves a traer por aquí.

Y Paco, el Bajo, callaba y miraba a uno y a otro.

—Lo siento, Vancito, tendrás que buscarte otro secretario.

Y el señorito Iván después de unos momentos de duda:

—¡Qué mariconada! Oye, y el caso es que después de todo, tuve suerte, que a punto estuvo de caerme encima.

Y después de unos minutos de conversación, volvieron al cortijo. Y transcurrida una semana, el señorito Iván pasó a recoger a Paco, el Bajo, en el Land Rover y volvieron a Cordovilla. Y antes de que el doctor le mirase, el señorito Iván le pidió:

—¿No podrías hacer algo, Manolo, para que el veintidós pueda salir al campo?

Pero el doctor movía enérgicamente la cabeza, de un lado y a otro, diciendo que no.

—Pero si el veintidós es casi pasado mañana, Iván, y este hombre debe estar cuarenta y cinco días sin moverse, pero eso sí, puedes comprarle un par de bastones[73] para que dentro de una semana empiece a moverse dentro de casa.

Y en cuanto terminó el doctor, Paco, el Bajo, y el señorito Iván empezaron el camino de vuelta al cortijo e iban en silencio, como si algo fundamental acabara de romperse entre ellos. Y de vez en cuando, Paco, el Bajo, suspiraba, sintiéndose culpable, e intentaba que la tensión no creciera.

—Créame, que más lo siento yo, señorito Iván.

Pero el señorito Iván conducía sin decir palabra, y Paco, el Bajo, sonreía y trataba de mover la pierna.

—¡Cómo duele esta pierna! —decía.

Pero el señorito Iván seguía muy quieto, hasta que la cuarta vez que habló Paco, el Bajo, dijo:

—Mira, Paco, los médicos pueden decir lo que quieran, pero tú lo que tienes que hacer es no abandonarte, hacer todo lo posible por andar. Mi abuela se abandonó y, tú lo sabes, se quedó coja[74] para el resto de su vida; en estos casos, con bastones o sin bastones, hay que moverse, salir al campo, aunque duela. Si te quedas quieto, nunca te pondrás bien, te lo digo yo.

Y al cruzar el portón del cortijo, se encontraron en el patio con el Azarías, la grajeta al hombro. Y el Azarías, al sentir el coche, se volvió hacia ellos y se acercó a la ventanilla del Land Rover, riendo.

El Quirce callaba, mirando al señorito Iván con sus ojos oscuros y redondos. Y el señorito Iván se bajó del coche sin poder dejar de observar el pájaro negro sobre el hombro del Azarías.

—¿Es que también sabes amaestrar[75] pájaros? —preguntó.

Y levantó su brazo para coger a la grajilla, pero el pájaro hizo un «quiá» asustado y voló hasta el tejado de la iglesia. Y el Azarías reía, moviendo la boca hacia los lados.

—Tiene miedo —dijo.

Y el señorito Iván:

—Claro, no me conoce.

Y levantaba los ojos hasta el pájaro.

—Y ¿ya no baja de ahí? —preguntó.

Y el Azarías:

—Espere.

Y su garganta hizo un «quiá» suave y la grajeta dudó unos momentos antes de empezar a volar. Dio dos vueltas alrededor del coche y, finalmente, se colocó sobre el hombro del Azarías. Y el señorito Iván, sorprendido:

—Vuela y no se va.

Y Paco, el Bajo, se acercó lentamente al grupo y dijo, dirigiéndose al señorito Iván:

—Le ha enseñado él, el Azarías.

Y el señorito Iván, cada vez más interesado:

—Y ¿qué hace ese pájaro durante el día?

Y Paco, el Bajo:

—Mire, lo mismo que todos, busca cristales, se echa una siesta en aquel árbol; el animal pasa el tiempo como puede.

Y según hablaba Paco, el señorito Iván observaba atentamente al Azarías. Y después de un rato, miró a Paco, el Bajo, y dijo a media voz, dejando caer las palabras por el hombro, como si hablara consigo mismo:

—Digo, Paco, que ¿no sería tu cuñado un buen secretario?

Pero Paco, el Bajo, negó con la cabeza, descansó el cuerpo sobre el pie izquierdo para señalarse la frente con la mano derecha y dijo:

—Con el palomo es posible; para la perdiz no es lo suficientemente inteligente.

Y a partir de ese día, el señorito Iván visitaba cada mañana a Paco, el Bajo, y le animaba.

—Paco, muévete, no te quedes quieto. No olvides lo que te dije.

Pero Paco, el Bajo, le miraba con sus tristes ojos de enfermo.

—Qué fácil se dice, señorito Iván.

Y el señorito Iván:

—Mira que el veintidós está próximo.

Y Paco, el Bajo:

—Y ¿qué puedo hacer? Más lo siento yo, señorito Iván.

Y el señorito Iván:

—«Más lo siento yo, más lo siento yo». ¡Mentira! El hombre es trabajo, energía, Paco, que no quieres entenderlo, y donde no hay energía, no hay hombre. Tienes que andar aunque te duela, si no, te quedarás inútil para siempre, ¿oyes?

Y le insistía el señorito Iván, hasta que Paco, el Bajo, decía llorando:

—En cuanto pongo el pie en el suelo es como si me lo cortaran. No imagina qué dolor.

Pero amaneció el día veintidós y el señorito Iván se presentó con las primeras luces en la puerta de Paco, el Bajo, en el Land Rover marrón.

—Venga arriba, Paco, ya tendremos cuidado, tú no te preocupes.

Y Paco, el Bajo, que se acercó a él con cierta preocupación, en cuanto le vio vestido con la ropa de caza, se olvidó de su pierna y se subió al coche mientras la Régula lloraba.

–A ver si después vamos a tener que lamentarlo, señorito Iván.

Y el señorito Iván:

–Tranquila, Régula, te lo devolveré entero.

Y en la Casa Grande, los señoritos de Madrid estaban felices preparándolo todo. Y el señor Ministro y la señorita Miriam, a quien también le gustaba la caza en batida, y todos, fumaban y levantaban la voz mientras desayunaban café. Y en cuanto entró Paco en el comedor aumentó el alboroto, y cada uno por su lado:

–¡Hombre, Paco!

–¿Cómo pudiste caerte, Paco? Claro que peor habría sido que te hubieras roto las narices.

Y la señorita Miriam, sonriendo con su sonrisa abierta y llena de luz:

–¿Tendremos buen día, Paco?

Y entonces, se abrió un silencio entre los invitados y Paco, el Bajo, dijo dirigiéndose a todos:

–La mañana está tranquila. Si no cambia, tendremos una buena batida.

Y finalmente, cada uno se fue en su Land Rover con los secretarios y el juego de escopetas y los cartuchos. Y el señorito Iván se mostraba muy amable con Paco, el Bajo.

Y el señorito Iván cada vez más harto, de peor humor:
—¿No puedes moverte un poquito más rápido, Paco? Si no te das prisa, te van a robar los pantalones.

—Tú, Paco, espera aquí, no te muevas; voy a esconder el coche detrás de esos árboles.

O sea, que todo iba bien, excepto el momento de recoger los animales, pues Paco, con los bastones, no podía correr mucho y los otros secretarios le quitaban los pájaros muertos.

—Señorito Iván, el Ceferino se lleva dos pájaros perdices que no son suyos —se lamentaba.

Y el señorito Iván, furioso:

—Ceferino, venga, dame esos dos pájaros, a ver si el pie de Paco va a servir para que os burléis de un pobre inútil —gritaba.

Pero otras veces era Facundo y otras Ezequiel, el Porquero, y el señorito Iván no podía contra todos; imposible luchar contra todos, y cada vez más harto, de peor humor:

—¿No puedes moverte un poquito más rápido, Paco? Si no te das prisa, te van a robar los pantalones.

Y Paco, el Bajo, lo intentaba, pero en una de estas ocasiones, ¡zas!, Paco, el Bajo, cayó al suelo.

—¡Ay señorito Iván, que se me ha vuelto a romper el hueso, que lo he sentido!

Y el señorito Iván, que por primera vez en la historia del cortijo llevaba en la tercera batida cinco pájaros menos que el señor Ministro, fue hacia Paco de muy mal humor.

—¿Qué te pasa ahora, Paco? Estás exagerando, ¿no te parece?

Pero Paco, el Bajo, insistía desde el suelo:

—La pierna, señorito, se ha vuelto a romper el hueso.

Y los gritos del señorito Iván se oían en Cordovilla.

—¿Es que no puedes moverte? Intenta al menos ponerte en pie, hombre.

Pero Paco, el Bajo, ni lo intentaba, se cogía la pierna enferma con las dos manos, sin escuchar los gritos del señorito Iván, por lo que al fin el señorito Iván cedió.

—De acuerdo, Paco, ahora te acerca Crespo a casa y te acuestas y por la tarde, cuando terminemos, te llevaré donde don Manuel.

Y horas más tarde, el médico se molestó al verlo.

—Podría usted poner más cuidado.

Y Paco, el Bajo, intentó justificarse:

—Yo...

Pero el señorito Iván, que tenía prisa, no le dejó hablar:

—Date prisa, Manolo, que el Ministro está solo.

Y el doctor enfadado:

—Se ha vuelto a romper, lógico. No debe moverse absolutamente nada.

Y el señorito Iván:

—¿Y mañana? ¿Qué voy a hacer mañana, Manolo? No es un capricho, te lo prometo.

Y el doctor:

—Haz lo que quieras, Vancito. Si quieres que este hombre se quede cojo para siempre, allá tú, es tu problema.

Y ya en el Land Rover marrón, el señorito Iván iba en silencio y encendía cigarrillos todo el tiempo, sin mirarlo, como si Paco, el Bajo, lo hubiera hecho queriendo.

—También es mariconada.

Repetía solamente entre dientes de vez en cuando, y Paco, el Bajo, callaba. Y el señorito Iván, saliendo de su silencio, le preguntó a Paco, el Bajo, de repente:

—¿Cuál de tus dos chicos es más listo?

Y Paco:

—Más o menos igual.

Y el señorito Iván:

—El que me acompañó el otro día con el palomo, ¿cómo se llama?

—El Quirce. Le gusta más el campo que al otro.

Y el señorito Iván:

—Tampoco se puede decir que hable mucho.

Y Paco:

—Pues no señor, así es, cosas de los jóvenes.

Y el señorito Iván, mientras encendía otro cigarrillo:

—¿Puedes decirme, Paco, qué quieren los jóvenes, que no están contentos en ninguna parte?

Y a la mañana siguiente, el frío silencio del Quirce molestaba al señorito Iván.

—¿Es que te aburres? —le preguntaba.

Y el Quirce:

—Mire, ni me aburro ni me dejo de aburrir.

Y volvía a guardar silencio, extraño a la batida, pero metía los cartuchos con rapidez y seguridad en las escopetas y localizaba sin un error las perdices muertas. Pero a la hora de recogerlas, se mostraba débil delante de los secretarios vecinos, y el señorito Iván gritaba:

—Ceferino, maricón, no te aproveches de que el chico es nuevo. ¡Venga, dale ese pájaro!

Y el señorito Iván intentaba ganarse la confianza del Quirce, pero el muchacho: «Sí, no, a lo mejor, mire»; cada vez más lejano. Y el señorito Iván se iba llenando como de electricidad y, tan pronto como terminó la batida, en el amplio comedor de la Casa Grande:

—Los jóvenes, digo, Ministro, no saben ni lo que quieren, que en esta paz que disfrutamos les ha resultado todo demasiado fácil. Una guerra les daría yo... Que nunca han vivido como viven hoy, que a nadie le faltan cinco duros en el bolsillo. Que es lo que yo pienso, que el tener los hace orgullosos. Que, ¿qué pensáis que me hizo el muchacho de Paco esta tarde?

Y el Ministro le miró un momento mientras comía con apetito y se pasaba cuidadosamente la servilleta blanca por los labios:

—Tú dirás.

Y el señorito Iván:

—Muy sencillo, al acabar la batida, le doy un billete de cien, veinte duritos, ¿no? Y él, «Deje, no se moleste»; que yo, «Te tomas unas copas, hombre». Y él, «Gracias, le he dicho que no». Bueno, pues no fue posible que lo aceptara, ¿qué te parece? Que yo recuerdo antes, bueno, hace unos días, su mismo padre, Paco, pues, «Gracias, señorito Iván». En fin, otra cosa, que parece que hoy a los jóvenes les molesta aceptar un orden social. Pero es lo que yo digo, Ministro, que a lo mejor estoy equivocado, pero todos debemos aceptar un orden, unos debajo y otros arriba, es ley de vida, ¿no?

Y todos se quedaron unos minutos en silencio, mientras el Ministro afirmaba y masticaba sin poder hablar. Y al fin se pasó delicadamente la servilleta por los labios y dijo:

—Los problemas de autoridad afectan hoy a todos.

Y los invitados afirmaron estar de acuerdo con las palabras del Ministro con movimientos de la cabeza, mientras la Nieves cambiaba los platos: quitaba el sucio con la mano izquierda y ponía el limpio con la derecha, la mirada baja, los labios quietos. Y el señorito Iván seguía todos los movimientos de la chica y, al llegar junto a él, la miró atentamente y la muchacha se puso roja. Y dijo, entonces, el señorito Iván:

—Tu hermano, digo, niña, el Quirce, ¿puedes decirme por qué es tan callado?

Y la Nieves, cada vez más nerviosa, levantó los hombros y sonrió y, finalmente, le puso el plato limpio por el lado derecho, temblando. Y por la noche, a la hora de acostarse, el señorito Iván volvió a llamarla.

—Niña, tira de esta bota, ¿quieres?, que yo no puedo.

Y la niña tiró de la bota con cuidado hasta que salió y, entonces, el señorito Iván levantó perezosamente la otra pierna.

—Ahora la otra, niña, haz el favor completo.

Y cuando la Nieves sacó la otra bota, el señorito Iván descansó los pies sobre la alfombra, sonrió ligeramente y dijo mirando a la muchacha:

—¿Sabes, niña, que has crecido mucho de repente y se te ha puesto un bonito cuerpo?

Y la Nieves, llena de vergüenza:

—Si el señorito no necesita otra cosa...

Pero el señorito Iván empezó a reír alegremente:

—Ninguno os parecéis a tu padre, a Paco digo, niña. ¿Es que también te molesta que te diga lo bonita que te has puesto?

Y la Nieves:

—No es eso, señorito Iván.

Y entonces, el señorito Iván sacó el tabaco del bolsillo, golpeó un cigarrillo contra la mesa y lo encendió.

—¿Cuántos años tienes tú, niña?

Y la Nieves:

—Voy a cumplir quince, señorito Iván.

Y el señorito Iván echó el humo, despacio:

—Verdaderamente no son muchos —admitió—, puedes marcharte.

Pero cuando la Nieves estaba ya casi en la puerta gritó:

—¡Ah! y dile a tu hermano que para la próxima vez no sea tan seco, niña.

Y salió la Nieves, pero en la cocina no podía parar, todo se le caía de las manos. Que la Leticia, la de Cordovilla, que subía al cortijo con ocasión de las batidas, le preguntaba:

—¿Puede saberse qué te pasa esta noche, niña?

Pero la Nieves callada, que no salía de su sorpresa. Y cuando terminó, dadas ya las doce, al cruzar el jardín camino de su casa, descubrió al señorito Iván y a doña Purita besándose con pasión a la luz de la luna.

LIBRO SEXTO

EL CRIMEN

Don Pedro, el Périto, se presentó en la casa de Paco, el Bajo, poco seguro, pero con palabras estudiadas.

—Así que no viste salir a la señora, a doña Purita, digo, Régula.

Y la Régula:

—No señor, don Pedro, por el portón no salió, ya se lo digo. Anoche sólo abrimos para que pasara el coche del señorito Iván.

Y don Pedro, el Périto:

—¿Estás segura de lo que dices, Régula?

Y la Régula:

—Tan segura como de que a estos ojos se los tiene que comer la tierra, don Pedro.

Y a su lado, Paco, el Bajo, con los bastones, afirmaba estar de acuerdo con las palabras de la Régula y Azarías sonreía con la grajeta sobre el hombro. Y al ver que no obtenía ninguna respuesta clara, don Pedro, el Périto, se separó del grupo y se alejó hacia la Casa Grande golpeándose los bolsillos del abrigo, como si en lugar de la mujer hubiera perdido la cartera. Y cuando desapareció de su vista, la

Nieves salió a la puerta con la Charito en los brazos y dijo de repente:

—Padre, doña Purita estaba anoche abrazándose en el jardín con el señorito Iván. Y ¡qué besos!

Bajó la cabeza como pidiendo perdón y Paco, el Bajo, adelantando los bastones, se llegó a la Nieves, asustado:

—Tú, calla la boca, niña. ¿Sabe alguien que los viste juntos?

Y la Nieves:

—¿Quién lo iba a saber? Eran ya más de las doce y en la Casa Grande no quedaba nadie.

Y Paco, el Bajo:

—De esto ni una palabra a nadie, ¿oyes? En estos asuntos de los señoritos, tú, oír, ver y callar.

Pero no habían terminado la conversación, cuando volvió don Pedro, el Périto, sin corbata y muy pálido:

—Decididamente doña Purita no está en la Casa —dijo después de dudar un poco—. No está en ninguna parte, doña Purita. Avisen al personal del cortijo, a lo mejor han raptado[76] a doña Purita y estamos aquí perdiendo el tiempo.

Lo decía moviendo los ojos hacia los lados, como loco. Y Paco, el Bajo, fue llamando casa por casa y, cuando estuvieron todos reunidos, don Pedro, el Périto, comunicó la desaparición de doña Purita.

—Se quedó en la Casa Grande dirigiendo los trabajos de la cocina cuando yo me acosté; después no la he vuelto a ver. ¿Alguno de vosotros ha visto a doña Purita pasada la medianoche?

Y los hombres se miraban unos a otros y algunos negaban con la cabeza para dejar bien claro que no sabían nada. Y Paco, el Bajo, miraba atentamente a la Nieves, pero la Nieves se dejaba mirar y dormía en sus brazos a la Charito sin decir ni que sí ni que no. Pero, de repente, don Pedro, el Périto, se acercó a ella y la Nieves se puso toda roja, asustada.

—Niña —dijo—, tú estabas en la Casa Grande cuando nos fuimos a acostar y doña Purita estaba por allí colocando cosas. ¿Es que no la viste luego?

Y la Nieves, confundida, decía que no y acompañaba con la cabeza el movimiento de sus brazos durmiendo a la Niña Chica. Y don Pedro, el Périto, nervioso:

—Está bien —dijo—, podéis marcharos.

Se volvió a la Régula:

—Tú, Régula, espera un momento.

Y al quedarse solo con la Régula, el hombre perdió la calma, que:

—Doña Purita ha tenido que salir con él, con el señorito Iván, digo, Régula, solamente por bromear, no te pienses otra cosa. Pero ha tenido que salir por el portón.

Y la Régula:

—Pues con el señorito Iván seguro que no iba, que el señorito Iván iba solo, y nada más me dijo: «Régula, cuídame a ese hombre», por el Paco, ¿sabe? «Que antes de fin de mes tengo que volver, que va a ser la época del palomo y le necesito»; eso me dijo y se marchó.

Pero, don Pedro, el Périto, cada vez más nervioso:

—El señorito Iván llevaba el Mercedes, ¿no es cierto, Régula?

Y la Régula:

—Don Pedro, ya sabe que yo de eso no entiendo, el coche azul traía. ¿Le basta?

—El Mercedes —afirmó don Pedro.

Y movió tan rápidamente la cara que la Régula pensó que nunca se le volvería a poner derecha.

—Una cosa, Régula, ¿te fijaste... te fijaste si en el asiento posterior llevaba, por casualidad, el señorito Iván el abrigo, ropa alguna o la maleta?

Y la Régula:

—Ni me di cuenta, don Pedro, si quiere que le diga la verdad.

Y don Pedro trató de sonreír para quitar importancia al asunto, pero le salió una expresión helada, y con esa expresión de dolor de estómago en los labios, se acercó mucho a la Régula y le dijo:

—Régula, piénsatelo dos veces antes de contestar: ¿no iría... no iría doña Purita en el coche, tumbada, por ejemplo, en el asiento posterior, tapada con un abrigo o alguna otra ropa? Entiéndeme, tú ya me comprendes, que tal vez se ha ido a Madrid para gastarme una broma.

Y la Régula insistió:

—Yo no vi más que al señorito Iván, don Pedro, que el señorito Iván, cuando yo me acerqué, me dijo: «Régula, cuídame a ese hombre», por el Paco, ¿sabe?...

—Ya, ya, ya... —dijo don Pedro, furioso—. Ese cuento ya me lo has contado, Régula.

Y dio media vuelta y se alejó, y desde ese momento se le vio por el cortijo de un sitio a otro, sin un lugar determinado adonde ir, las manos en los bolsillos del abrigo, triste. Y así transcurrió una semana. Y el sábado siguiente, cuando llegó el Mercedes, don Pedro, el Périto, temblaba y se cogía una mano con la otra para que nadie se diera cuenta. Y mientras la Régula abría el portón, él, don Pedro, trataba de calmarse, y cuando el coche entró en el cortijo, todos pudieron comprobar que el señorito Iván venía solo. Y don Pedro, el Périto, no pudo controlarse y allí mismo, en el patio, delante de la Régula y Paco, el Bajo, que había salido hasta la puerta, le preguntó:

—Una cosa, Iván, ¿no viste por casualidad a Purita la otra noche después de la cena? No sé qué ha podido sucederle; en el cortijo no está y...

Y mientras hablaba, la sonrisa del señorito Iván se hacía más ancha y, sin darle mucha importancia, respondió:

—No me digas que has perdido a tu mujer, Pedro. ¿No habréis discutido como siempre y estará en casa de su madre esperándote?

Y don Pedro, que en una semana había adelgazado mucho y estaba muy pálido, movía arriba y abajo los hombros, y finalmente afirmó:

—Discutir, sí discutimos, Iván, las cosas como son, como tantas noches. Pero dime, ¿por dónde ha salido del cortijo esta mujer, si la Régula asegura que sólo te abrió la puerta a ti? ¿Eh? Piensa que si hubiera escapado por el campo, los perros la hubieran matado, ya sabes tú cómo son esos animales.

Y el señorito Iván parecía pensar y después de un rato dijo:

—Si habéis discutido, ella pudo meterse en el maletero de mi coche, Pedro, o en cualquier otro sitio; el Mercedes es muy grande, ¿comprendes? Digo, Pedro, sin que yo lo supiese, y luego bajarse en Cordovilla o en Fresno, que eché gasolina, o incluso, en el mismo Madrid, ¿no? Yo soy distraído, ni me habría dado cuenta...

Y los ojos de don Pedro, el Périto, se llenaban cada vez más de lágrimas y de luz.

—Claro, Iván, naturalmente que pudo ser así —dijo.

Y el señorito Iván abrió de nuevo su generosa sonrisa y le dio un golpecito en el hombro a don Pedro, el Périto, a través de la ventanilla del coche.

—Otra cosa no te pienses, Pedro, que te gustan mucho los dramas, la Purita te quiere, tú lo sabes —rió—, puedes dormir tranquilo.

Y volvió a reír, puso el coche en marcha y se dirigió a la Casa Grande, pero, antes de la hora de la cena, estaba de nuevo en casa de Paco, el Bajo.

—¿Cómo va esa pierna, Paco? Que antes con el disgusto de don Pedro, ni siquiera te pregunté.

Y Paco, el Bajo:

—Ya ve, señorito Iván, despacito.

Y el señorito Iván se agachó, le miró y le dijo:

—A que no te atreves, Paco, a salir mañana con el palomo.

Y Paco, el Bajo, estudió la cara del señorito Iván con sorpresa tratando de adivinar si hablaba en serio o en broma, pero como no podía saberlo, preguntó:

—¿Lo dice en serio o en broma, señorito Iván?

Y el señorito Iván:

—Hablo en serio, Paco, tú me conoces y sabes que con estas cosas de la caza yo no hago bromas. Y con tu muchacho, el Quirce, no me gusta, vaya, te voy a decir la verdad.

Pero Paco, el Bajo, señaló con un dedo la pierna enferma:

—Pero, señorito Iván, ¿dónde quiere que vaya con esta pierna?

Y el señorito Iván bajó la cabeza:

—Tienes razón —admitió.

Pero después de unos segundos de duda, levantó los ojos de repente:

—¿Y qué me dices de tu cuñado, Paco, ese tonto, el de la grajeta? Tú me dijiste una vez que para el palomo podía servir.

Y Paco, el Bajo:

—El Azarías es inocente, pero pruebe. Mire, por probar nada se pierde.

Volvió los ojos a su alrededor y gritó:

—¡Azarías!

Y después de un rato se presentó el Azarías, el pantalón caído, la sonrisa tonta, masticando la nada.

—Azarías —dijo Paco, el Bajo—, el señorito Iván te quiere llevar mañana al campo con el palomo...

—¿Con la milana? —le cortó Azarías.

Y Paco, el Bajo:

—No, Azarías, olvídate de la milana ahora, ¿entiendes? Tienes que atar los palomos ciegos en lo alto de una encina, moverlos con una cuerda y esperar...

Y el Azarías afirmaba con la cabeza:

—¿Como en la Jara, con el señorito? —preguntó.

—Sí, como en la Jara, Azarías —respondió Paco, el Bajo.

Y al día siguiente, a las siete de la mañana, ya estaba el señorito Iván a la puerta con el Land Rover marrón.

—¡Azarías!

—¡Señorito!

Se movían en silencio, como sombras, que sólo se oía el húmedo sonido de Azarías masticando la nada. Amanecía.

—Pon ahí la jaula con los palomos. ¿Llevas la cuerda? ¿Vas a subir descalzo a los árboles? ¿No te harás daño en los pies?

Pero el Azarías preparaba las cosas sin escucharle. Y, antes de poner el coche en marcha, sin pedir permiso al señorito Iván, se fue a buscar la lata de pienso, salió con ella, levantó la cabeza, abrió los labios y:

—¡Quiá!

Y desde lo alto de la iglesia la grajilla respondió:

—¡Quiá!

Y el pájaro miró hacia abajo, hacia las sombras que se movían cerca del coche. Y aunque todavía no había mucha luz, se tiró y dio varias vueltas alrededor del grupo. Y finalmente, se colocó sobre el hombro derecho del Azarías y luego saltó al brazo y abrió el pico. Y el Azarías, con la mano izquierda, le daba pienso, mientras decía con cariño:

—Milana bonita, milana bonita.

Y el señorito Iván:

—Este pájaro come más de lo que vale. ¿Es que todavía no sabe comer solo?

Y el Azarías sonreía. Y una vez que acabó con su hambre, como el señorito Iván se acercó, la grajeta empezó a volar. Entonces, el Azarías le sonrió y le dijo adiós con la mano y, ya dentro del coche, volvió a despedirse mientras el señorito Iván salía en dirección del encinar del Moro. Y cuando llegaron allí, se bajaron, el Azarías se orinó las manos protegido por una jara y, al terminar, se subió a la encina más grande, y el señorito Iván:

—¿No necesitas la cuerda, Azarías?

Y el Azarías:

—¿Para qué, señorito? Alcánceme el palomo.

Y el señorito Iván se lo entregó y le preguntó:

—¿Cuántos años tienes tú, Azarías?

Y el Azarías, en lo alto:

—Un año más que el señorito —respondió.

Y el señorito Iván, sorprendido:

—¿De qué señorito me estás hablando? ¿El de la Jara?

Y el Azarías, sentado en la rama, sonreía tontamente al azul sin responder, mientras el señorito lo preparaba todo debajo de la encina. Pero el Azarías no paraba de tirar de la cuerda, un-dos, un-dos, un-dos, como si fuera un juguete, y el palomo ciego movía las alas para no caerse. Y el Azarías sonreía y el señorito Iván:

—Estáte quieto, Azarías, ¿no ves que no hay pájaros?

Pero el Azarías continuaba tirando, un-dos, un-dos, un-dos, como si fuera un niño. Y el señorito Iván, entre que no se veía ni un palomo en el cielo y que adivinaba una mala mañana, estaba cada vez más enfadado.

—¡Quieto he dicho, Azarías! ¿Es que no me oyes?

Y entonces el Azarías se quedó muy quieto, sonriendo con su sonrisa de niño inocente, hasta que después de unos minutos aparecieron cinco palomas como cinco puntos negros en el azul pálido del cielo. Y el señorito Iván preparó la escopeta y dijo a media voz:

—Ahí vienen, tira ahora, Azarías.

Las palomas giraron a la derecha y se perdieron en el azul igual que habían venido. Y el señorito Iván:
—No lo quieren. Baja, Azarías, vámonos al Alisón.

100

Pero las palomas no hicieron caso a la llamada, giraron a la derecha y se perdieron en el azul igual que habían venido. Un cuarto de hora después apareció otro grupo y volvió a suceder lo mismo. Y el señorito Iván:

—No lo quieren. Baja, Azarías, vámonos al Alisón, las pocas palomas que hay parece que se dirigen allí.

Y el Azarías bajó con el palomo, tomaron el Land Rover y se dirigieron al Alisón. Y cuando llegaron, el Azarías se orinó las manos, subió a un árbol enorme y a esperar. Tampoco parecía que allí hubiera movimiento, aunque era pronto para saberlo, pero el señorito Iván en seguida perdía la paciencia.

—Abajo, Azarías, esto no me gusta, ¿sabes?

Y de nuevo cambiaron de lugar, pero las palomas, muy pocas y separadas, no respondían a la llamada. Y a media mañana, el señorito Iván, aburrido de tanto esperar, empezó a disparar a todas partes, a todo pájaro que se movía, que parecía un loco. Y cuando se cansó, volvió junto al árbol y le dijo al Azarías:

—Baja, Azarías, esta mañana no hay nada que hacer, veremos si por la tarde cambia la suerte.

Y el Azarías bajó y, mientras se dirigían al Land Rover, apareció muy alto, por encima de sus cabezas, un abundante grupo de grajetas. Y el Azarías levantó los ojos, sonrió, dijo unas palabras incomprensibles y, finalmente, dio un golpecito en el brazo al señorito Iván:

—Escuche —dijo.

Y el señorito Iván, de muy mal humor:

—¿Qué es lo que quieres que escuche?

Y el Azarías señalaba a lo alto, hacia los pájaros.

—Muchas milanas, ¿no las ve?

Y sin esperar respuesta, miró al cielo y gritó:

—¡Quiá!

Y de repente, una grajeta se separó del enorme grupo y se tiró desde lo alto hacia ellos, en vuelo tan rápido y ligero que el señorito Iván no pudo evitarlo y preparó la escopeta. Y al Azarías al verlo, se le heló la sonrisa en los labios, el miedo asomó a sus ojos y gritó fuera de sí:

—¡No tire, señorito, es la milana!

Pero el señorito Iván notaba la escopeta en la cara, y notaba las ganas de matar que toda la mañana le habían perseguido, y notaba también la dificultad del disparo de arriba abajo. Y aunque oyó claramente la voz del Azarías, «¡Señorito, por Dios se lo pido, no tire!», no pudo controlarse y disparó. En cuanto se oyó el ruido, la grajilla dejó en el aire un rastro de plumas negras y azules. Y antes de llegar al suelo, ya corría el Azarías gritando:

—¡Es la milana, señorito! ¡Me ha matado a la milana!

Y el señorito Iván detrás de él, la escopeta abierta, reía:

—Será imbécil, el pobre —como para sí.

Y luego en voz alta:

—¡No te preocupes, Azarías, yo te regalaré otra!

Pero el Azarías, sentado al lado de una jara, sostenía el pájaro entre sus manos, la sangre caliente entre los dedos, sintiendo, al fondo de aquel cuerpecillo roto, los últimos golpes de su corazón. Y el Azarías lloraba.

—Milana bonita, milana bonita.

Y el señorito Iván, a su lado:

—Debes creer que lo siento, Azarías, no pude controlarme, de verdad. Hemos tenido una mañana tan mala, compréndelo.

Pero el Azarías no le escuchaba y apretó aún más la grajeta entre sus manos, intentando conservar su calor, y dirigió hacia el señorito Iván una mirada vacía.

—¡Se ha muerto la milana, señorito! ¡La milana se ha muerto! —dijo.

Y de esta manera, con la grajilla entre las manos, se bajó minutos después en el patio y salió Paco, el Bajo, sosteniéndose en sus bastones, y el señorito Iván:

—A ver si puedes hacer algo con tu cuñado, Paco, le he matado el pájaro —reía y en seguida trataba de justificarse—. Tú, Paco, que me conoces, sabes lo que es una mañana esperando sin ver ni un pájaro, ¿no? Bueno, pues eso, cinco horas esperando y de repente la graja[54] que se tira de arriba abajo. ¿Te das cuenta? ¿Quién puede controlarse en esa situación, Paco? Explícaselo a tu cuñado y que no se diguste, que yo le regalaré otra grajilla, basura de ésa hay mucha en el cortijo.

103

Y Paco, el Bajo, miraba primero al señorito Iván y después al Azarías, aquél sonriendo con su sonrisa llena de luz, éste, con el pájaro muerto en sus manos. Hasta que el señorito Iván subió de nuevo al Land Rover, lo puso en marcha y dijo desde la ventanilla:

—No te enfades, Azarías, basura como ésa hay mucha. A las cuatro volveré a por ti, a ver si tenemos una tarde mejor.

Pero el Azarías lloraba tristemente.

—Milana bonita, milana bonita —repetía.

Mientras, sentía el pájaro cada vez más frío entre los dedos y, cuando se dio cuenta de que aquello ya no era un cuerpo sino un objeto, el Azarías se acercó a la Niña Chica. Y en ese momento, la Charito dio uno de sus gritos llenos de dolor y el Azarías le dijo a la Régula:

—¿Oyes, Régula? La Niña Chica llora porque el señorito me ha matado la milana.

Pero por la tarde, cuando el señorito Iván pasó a recogerle, el Azarías parecía otro, que ni lloraba ni nada. Preparó la jaula con los palomos ciegos y una cuerda el doble de fuerte que la de la mañana en la parte de atrás del Land Rover, tranquilo, como si nada hubiera ocurrido. Y el señorito Iván reía.

—¿No será esa cuerda para mover al palomo, verdad, Azarías?

Y el Azarías:

—Para subir al árbol es.

104

Y el señorito Iván:

—Vamos, a ver si quiere cambiar la suerte esta tarde. El Ceferino asegura que en el encinar del Pollo se movían hace dos días grupos de palomas.

Pero el Azarías parecía lejano, la mirada perdida. Y en cuanto llegaron, vieron un grupo de palomas y el señorito Iván se puso nervioso.

—Date prisa, Azarías, ¿es que no las ves? Hay allí más de tres mil palomas.

Y sacaba rápidamente las escopetas y los cartuchos.

—Date prisa, Azarías —repetía.

Pero el Azarías, tranquilo, subió al árbol con la cuerda alrededor del cuerpo. Y una vez en la primera rama, le dijo al señorito Iván:

—¿Me da la jaula, señorito?

Y el señorito Iván levantó el brazo, con la jaula de los palomos en la mano. Y al mismo tiempo levantó la cabeza y, al hacerlo, el Azarías le echó la cuerda al cuello, como si fuera una corbata, y tiró de ella. Y el señorito Iván, para evitar soltar la jaula y hacer daño a los palomos, trató de quedar libre de la cuerda con la mano izquierda, porque aún no comprendía.

—¿Pero qué haces, Azarías? ¿Es que no has visto la nube de palomas sobre los encinares del Pollo, maricón?

Y en cuanto el Azarías pasó la cuerda por la rama de encima de su cabeza y tiró de ella con todas sus fuerzas, el señorito Iván se sintió levantado del suelo, soltó la jaula de los palomos y:

—¡Dios!... estás loco... tú —dijo, pero apenas si se le oyó. Y casi inmediatamente el señorito Iván sacó la lengua, una lengua larga, gorda y roja, pero el Azarías ni le miraba, tan sólo sostenía la cuerda. Ató ésta a la rama en la que se sentaba y sus labios dibujaron una sonrisa tonta. Pero todavía el señorito Iván o las piernas del señorito Iván sufrieron unos movimientos extraños, como si bailaran ellas solas, y su cuerpo se movió un rato hasta que, después, se quedó quieto, la cabeza caída sobre el pecho, los brazos a lo largo del cuerpo. Mientras Azarías, arriba, masticaba y reía tontamente al cielo, a la nada.

—Milana bonita, milana bonita —repetía.

Y en ese momento, un apretado grupo de palomas movió con fuerza el aire, pasando muy cerca de la encina en que se ocultaba.

SOBRE LA LECTURA

Para comprobar la comprensión

LIBRO PRIMERO

1. *¿Cuáles son las ocupaciones habituales de Azarías en el cortijo?*
2. *¿Cómo es la relación entre Azarías y la milana?*
3. *¿Dónde vive Azarías? ¿Con su hermana, la Régula?*
4. *¿Cómo reacciona el señorito cuando Azarías le dice que la milana está enferma?*
5. *¿Qué hace Azarías cuando muere la milana?*

LIBRO SEGUNDO

6. *¿Quién es la Niña Chica? ¿Es normal? ¿Cómo lo sabemos?*
7. *Para acabar con el analfabetismo en el cortijo, la Señora Marquesa hace ir a unos señoritos de la ciudad para dar clase a los empleados. ¿Está Paco de acuerdo con las explicaciones que les dan estos señoritos? ¿Por qué? ¿Le afectan a Paco estas clases? ¿Cómo?*
8. *¿Cómo piensa Paco que será su nueva vida en el cortijo? ¿Qué harán sus hijos? ¿Cómo será la casa? ¿Se cumplen sus esperanzas? ¿Por qué?*
9. *¿Viven la Señora Marquesa y el señorito Iván en el cortijo? ¿Y don Pedro? ¿Cuál es su función?*

10. *Nieves quiere hacer la comunión. ¿Qué piensan los seño-ritos al conocer las intenciones de la chica?*

11. *¿Por qué discuten don Pedro y doña Purita?*

LIBRO TERCERO

12. *¿Por qué despide el señorito de la Jara a Azarías?*

13. *¿Cómo pasa los días Azarías en el cortijo donde vive su hermana? ¿Qué hace?*

14. *Azarías da de vientre en cualquier lugar del cortijo. ¿Qué se le ocurre a Paco, el Bajo, para evitarlo?*

15. *¿Cómo reacciona Azarías cuando Rogelio le regala la grajeta? ¿Qué significa el pájaro para él?*

LIBRO CUARTO

16. *¿Qué siente el señorito Iván por la caza?*

17. *¿Cuáles son las cualidades de Paco, el Bajo, para la caza?*

18. *¿Por qué discuten el señorito Iván y René, el francés? ¿Qué hace el señorito Iván para demostrar a René que él tiene la razón?*

19. *¿Cómo se celebran en el cortijo las visitas de la Señora Marquesa?*

20. *¿A quién descubre la Señora Marquesa en su última vi-sita?*

21. *¿Cómo reacciona la señorita Miriam cuando el Azarías la lleva a ver la grajilla?*

LIBRO QUINTO

22. *¿Qué le ocurre a Paco, una tarde, después de una semana y media de salir con el señorito Iván a cazar palomas? ¿Por qué le sucede?*

23. *¿Cómo reacciona el señorito Iván al saber que Paco no puede salir a cazar?*

24. *Cuando el señorito Iván y Paco vuelven del médico, se encuentran a Azarías en el patio. En opinión de Paco, ¿sería su cuñado un buen secretario? ¿Por qué?*

25. *¿Qué le ocurre a Paco durante la batida del día veintidós? ¿Por qué le ocurre esto?*

26. *Quirce acompaña al señorito Iván como secretario. ¿Qué es lo que molesta al señorito Iván del muchacho?*

27. *¿Qué piensa el señorito Iván de los jóvenes?*

LIBRO SEXTO

28. *¿Para qué se presenta don Pedro en casa de Paco?*

29. *¿Quién ha visto a doña Purita la pasada noche? ¿Qué estaba haciendo doña Purita?*

30. *¿Con quién sospecha don Pedro que ha salido doña Purita del cortijo? La conversación con el señorito Iván, ¿le ayuda a pensar lo contrario?*

31. *El señorito Iván visita a Paco. ¿Qué pretende?*

32. *Azarías acompaña al señorito Iván para ayudarle con el palomo. ¿Qué ocurre esa mañana? ¿Por qué está de mal humor el señorito Iván?*

33. *Al final de la mañana, ¿qué sucede mientras Azarías y el señorito Iván se dirigen al Land Rover? ¿Por qué no puede controlarse el señorito Iván?*

34. *¿Qué ocurre ese mismo día por la tarde?*

Para hablar en clase

1. *¿Cómo cree que podría continuar esta historia? ¿Qué cree usted que le sucedería al Azarías? ¿Y al resto de su familia?*

2. *¿Qué tipo de relación establece Azarías con el medio natural? ¿Y el señorito Iván? ¿En qué se diferencian estas relaciones?*

3. *¿Qué opina de la caza? ¿Ha ido alguna vez a cazar? ¿Le gustaría hacerlo? ¿Por qué?*

4. *Esta novela plantea una situación de injusticia social en la España rural durante la época del franquismo: los señoritos se aprovechaban de los criados y empleados, a los que ni siquiera consideraban como a personas, y ellos lo aceptaban sin protestar. ¿Se han producido circunstancias parecidas en su país? ¿Cuándo y dónde?*

5. *¿Justificaría usted el crimen de Azarías? ¿Por qué?*

NOTAS

Estas notas proponen equivalencias o explicaciones que no pretenden agotar el significado de las palabras o expresiones siguientes sino aclararlas en el contexto de *Los santos inocentes*.

m.: masculino, *f.:* femenino, *inf.:* infinitivo.

Los santos inocentes: nombre con el que se conoce a los niños menores de dos años que fueron asesinados en la región de Belén por orden del rey Herodes el Grande, quien esperaba así matar a Jesucristo entre ellos. Miguel Delibes da este título a su obra por comparación con el Azarías, Paco, su familia y el resto de los personajes, porque, al igual que estos niños, son santos e inocentes; seres incapaces de ver el mal y de reaccionar ante él.

jara

1 **regañaba** (*inf.:* **regañar**): decía que le parecía mal lo que había hecho o dicho.

2 **Jara** *f.:* Topónimo que evoca la vegetación del lugar. La **jara** es un arbusto de hojas alargadas y pegajosas, que echa flores blancas, rosas o amarillentas, y que huele muy fuerte.

3 **señorito** *m.:* hijo de una persona distinguida e importante; tratamiento que daban los criados o los empleados al hijo del amo o a éste mismo, especialmente si era joven. En la actualidad, esta forma de tratamiento sólo se mantiene en las zonas rurales.

4 **descalzos**: que llevan los pies desnudos.

tapón de válvula

5 **Porquero**: Sobrenombre que Miguel Delibes da a su personaje, Dacio, siguiendo la costumbre de designar a las personas por su función. El **porquero** (*m.*) es la persona que se ocupa de los cerdos.

6 **cortijo** *m.:* en Extremadura y Andalucía, conjunto de casas rodeadas de tierras que se utilizan para el cultivo o la cría de animales.

7 **masticando** (*inf.:* **masticar**): partiendo y deshaciendo con los dientes y muelas.

8 **tapones de las válvulas** *m.:* en las ruedas de los coches, las **válvulas** (*f.*) son unos pequeños cilindros que regulan el paso del aire que llena los neumáticos. Los **tapones** son las piezas de plástico que cubren o tapan las **válvulas**.

9 **rascaba** (*inf.:* **rascar**): pasaba suavemente las uñas para expresar cariño.

10 **portón** *m.:* puerta grande que, aquí, cierra el conjunto de edificios del **cortijo** (ver nota 6): las casas donde viven sus dueños y sus empleados.

11 **jaulas** *f.:* cajas que se usan para encerrar pájaros o aves, así como otros animales.

12 **búho** *m.:* ave rapaz de costumbres nocturnas.

13 **plumas** *f.:* lo que cubre el cuerpo de las aves.

búho

14 **milana** *f.:* nombre cariñoso que da el Azarías a cada una de sus aves, sean de la especie que sean. El **milano** (*m.*) es un ave rapaz, de color rojizo y larga cola.

15 **águilas** *f.:* aves rapaces de gran tamaño, color amarillento o pardo, y muy ágiles y fuertes, que vuelan a gran altura y son muy buenas cazadoras.

águila

16 **cuadra** *f.:* lugar cerrado donde se guardan los caballos y otros animales de carga.

17 **se orinaba las manos** (*inf.:* **orinar**): hacía pis sobre las manos.

18 **ando con la perezosa** (*inf.:* **andar con la perezosa**): no tengo fuerzas ni ganas de hacer nada. Expresión creada por Miguel Delibes a partir del adjetivo **perezoso**, es decir, vago, que no tiene disposición o interés para trabajar o para realizar lo que debe hacer.

19 **Cerro de las Corzas**: Topónimo que evoca tanto el relieve como la fauna de la zona. El **cerro** (*m.*) es una elevación de terreno menor que un monte o una montaña. Las **Corzas** (*f.*) son las hembras del corzo, animal mamífero de pelo habitualmente marrón y rojo en verano y casi gris en invierno.

corza

20 **daba de vientre** (*inf.:* **dar de vientre**): evacuaba el vientre.

21 **amanecer**: aparecer la luz del día.

113

encina

22 **encinar** *m.:* lugar donde crecen muchas **encinas** (*f.*), es decir, árboles de hojas pequeñas acabadas en punta y madera muy dura, que crecen en las regiones secas de España.

23 **lobos** *m.:* animales salvajes parecidos a los perros; son grandes cazadores y viven en grupo en bosques y montañas, pero a veces se acercan a las granjas para buscar comida.

24 **cárabo** *m.:* ave rapaz parecida al **búho** (ver nota 12), de color gris y marrón, y alas anchas y redondeadas.

lobos

25 **pico** *m.:* parte saliente y dura de la cabeza de las aves, por donde toman el alimento.

26 **alas** *f.:* partes del cuerpo que utilizan las aves para volar.

27 **Mago** *m.:* Nombre que aquí se da a la persona que, sin ser médico, se dedica a curar utilizando medios naturales, como bebidas hechas con plantas, o empleando otras fuerzas extrañas de la naturaleza, como llamadas a los espíritus, etc.

28 **pastores** *m.:* personas que se ocupan de guardar y guiar el ganado, **ovejas** (ver nota 47) generalmente.

29 **Guarda Mayor** *m.:* aquí, persona que se encarga de la vigilancia y la conservación de las tierras del **cortijo** (ver nota 6) y que, además, organiza el trabajo de los **guardas** de categoría inferior.

30 **Raya** *f.:* aquí, línea que establece la frontera entre regiones o territorios distintos.

31 **bragas** *f.:* ropa interior de mujer que cubre la zona inferior del vientre y que tiene dos aberturas para las piernas.

32 **Marquesa** *f.:* título de nobleza, inferior al de duquesa y superior al de condesa.

33 **analfabetismo** *m.:* característica de los **analfabetos** (*m.*), es decir, de las personas que no saben leer ni escribir.

34 **caprichos** *m.:* propósitos o formas de actuar sin causa lógica ni razonable.

35 **académicos** *m.:* aquí, miembros de la Real Academia Española, institución oficial que se dedica al estudio y a la conservación de la lengua española y que establece lo que es o no correcto decir y escribir.

36 **muda**: referido a una letra, que no se pronuncia; referido a una persona, que no puede hablar.

37 **ve crecer la hierba**: «es muy lista y entiende rápidamente todo lo que se le explica», en lenguaje familiar.

carro

38 **carro** *m.:* vehículo con dos ruedas y tirado por animales, que sirve para transportar cosas.

39 **hacer la comunión**: hacer la primera **comunión**, es decir, comer, por primera vez, el trozo de pan que, en la religión católica, representa el cuerpo de Cristo, durante una ceremonia que simboliza la unión con Dios.

40 **Obispo** *m.:* en la Iglesia católica, sacerdo-
te que, además de dirigir los servicios reli-
giosos, está encargado del gobierno de las
iglesias de una determinada zona.

41 **secretario** *m.:* aquí, persona que acompaña y ayuda al cazador.

42 **primera doncella** *f.:* criada que se ocupa
del servicio personal de la señora o de las
tareas más delicadas de la casa, como co-
ser o planchar.

43 **cielo** *m.:* en la religión católica, lugar adonde las almas puras van a reunirse con Dios.

44 **Concilio** *m.:* reunión de **obispos** (ver nota
40) y otros cargos de la Iglesia católica para discutir cuestiones importantes sobre la
Iglesia y sus leyes. Aquí, se refiere al
Concilio Vaticano II (1962-1965), que
propuso una serie de cambios para inten-
tar renovar y modernizar el mensaje cris-
tiano adaptándolo a la época.

oveja

45 **escote** *m.:* abertura alrededor del cuello
en un vestido u otra ropa y que, a veces,
deja desnuda parte del pecho y de la espalda.

46 **abono** *m.:* sustancia mineral, animal o ve-
getal que se añade a la tierra para que las
plantas se desarrollen más y con mayor fa-
cilidad.

47 **ovejas** *f.:* animales mamíferos que tienen
el cuerpo cubierto de espesa lana y viven
en grandes grupos.

48 **cagarrutas** *f.:* excrementos en forma de bolitas que echan algunos animales, como las **ovejas** (ver nota 47).

49 **tractor** *m.:* vehículo con motor que se utiliza para realizar algunos trabajos del campo, y para arrastrar otros vehículos.

tractor

50 **piojo** *m.:* insecto muy pequeño que vive en el pelo de los animales y del hombre, alimentándose de su sangre, y que puede provocar enfermedades. Se transmite fácilmente, sobre todo, si hay falta de limpieza.

51 **Franco**: Francisco Franco Bahamonde (1892-1975), militar y político español. En 1936, el general Francisco **Franco**, junto con otros generales, participó en una rebelión contra el gobierno constitucional de la II República, que dio origen a la Guerra Civil Española. Al terminar la guerra, en 1939, ganada por los ejércitos de **Franco**, éste instaló un régimen dictatorial que duró hasta su muerte.

52 **moros** *m.:* habitantes del norte de África que ocuparon gran parte de España desde el año 711 hasta 1492, cuando los Reyes Católicos se hicieron dueños de Granada.

53 **infierno** *m.:* según la religión católica, lugar donde las almas de los muertos sufren penas eternas por no haber llevado una vida de acuerdo con las leyes de Dios.

grajas

54 **grajeta**, **grajilla** o **graja** *f.:* ave negra, de pequeño tamaño. Se alimenta de granos y frutas, y le gusta reunirse en grandes grupos.

117

nido

55 **nido** *m.:* construcción que hacen los pájaros para poner sus huevos y criar los pollos.

56 **pienso** *m.:* alimento que se da al ganado, como las vacas, los caballos, etc.

57 **olfato** *m.:* sentido por el que, a través de la nariz, se perciben los olores.

58 **perdiz** *f.:* ave de cuerpo grueso y cabeza pequeña, muy apreciada como pieza de caza y por la calidad de su carne.

59 **maricón:** forma despectiva para designar a un hombre afeminado o que hace movimientos considerados propios de las mujeres. Aquí, el **señorito** (ver nota 3) Iván emplea este término continuamente con sus inferiores como apelativo coloquial, perdiendo así tanto su significado propio como parte de su valor peyorativo. Una **mariconada** (*f.*) es, vulgarmente, una jugada sucia, un hecho que provoca daño, especialmente si es con mala intención.

perdiz

60 **escopeta** *f.:* arma de fuego que usan los cazadores.

61 **Día de la Raza:** nombre que, durante el régimen de **Franco** (ver nota 51), se daba al día 12 de octubre. En esta fecha, conmemoración de la llegada de Cristóbal Colón a América, se exaltaban la **raza**, la lengua y la cultura de los pueblos de habla española. La **raza** (*f.*) es cada uno de los grandes grupos en que se dividen los hombres por el color de la piel, etc. El día 12 de octubre sigue siendo Fiesta Nacional en España.

escopeta

62 **cartuchos** *m.:* cargas de un arma de fuego, correspondientes a cada disparo.

63 **batida** *f.:* en la caza, acción de recorrer un terreno para, mediante gritos y ruidos, hacer salir a los animales de sus escondites y así poder dispararlos.

cartuchos

64 **teta** *f.:* pecho o mama de las mujeres y de las hembras de los mamíferos. Aquí, René, que es francés, provoca la risa de los demás al confundir esta palabra con la francesa «tête», que significa cabeza, por su semejanza gráfica y fonética.

65 **veinte duros** *m.:* cien pesetas. **Duro** (*m.*) es el nombre que se le da a la moneda de cinco pesetas. Es frecuente expresar ciertas cantidades en **duros** en vez de en pesetas.

66 **año treinta y seis:** año del comienzo de la Guerra Civil Española, finalizada en 1939, que enfrentó a los nacionales, de tendencias conservadoras, apoyados por las fuerzas políticas de derechas, y a los partidarios de la República, apoyados por las clases obreras organizadas y los liberales.

paloma

67 **ramas** *f.:* cada una de las partes que nacen del **tronco** (parte principal) de un árbol y en las cuales crecen las hojas, flores y frutos, si los tienen.

68 **palomas** *f.:* aves de tamaño mediano con la cabeza pequeña, el **pico** (ver nota 25) corto y la cola amplia. Tienen distintos colores según las especies; las más corrientes son grisáceas.

119

férula

bastones

69 **troncos** *m.:* partes principales de los árboles de las que nacen las **ramas** (ver nota 67).

70 **capirotes** *m.:* piezas de cuero que se ponen a las aves de caza en la cabeza para mantenerlas quietas.

71 **tú eres el amo de la burra:** expresión coloquial figurada con la que Delibes indica que el **señorito** (ver nota 3) Iván tiene el poder de decidir sobre la vida de sus criados y empleados, en este caso, sobre Paco, el Bajo.

72 **férula** *f.:* tabla que sirve para mantener los huesos rotos en una posición fija y para evitar que se muevan.

73 **bastones** *m.:* palos de madera que sirven para sostenerse al andar.

74 **coja:** que no puede andar correctamente por tener algún defecto o por faltarle una pierna o un pie.

75 **amaestrar:** hacer que un animal obedezca y aprenda a hacer algunas cosas.

76 **han raptado** (*inf.:* **raptar**): han cogido y retenido por la fuerza a una persona, para pedir dinero u otras cosas a cambio de dejarla libre.